まえがき

学ぶことをやめれば、憂いがなくなる。ハイと、コラと、どれほどの違いがあろうか。美しいのと醜《みにく》いのと、どれほどの違いがあろうか。人々が恐れることは、恐れないわけにはいかない。

（道のありさまは）ひろびろとして、どこまでいっても果てしがない。

誰もがみな浮きうきとして、宴席の最高のごちそうを楽しむかのよう、春に高台に登って景色を眺めるかのよう。ただわたしだけが、ひっそりとして何の気持ちも起こさず、まだ笑いもしない赤子のよう。くたびれて、帰る家さえない者のよう。

（蜂屋邦夫訳注『老子』第二十章　岩波文庫）


近江に引っ越してきて、芭蕉を知り、彼の愛読書だった『荘子』を繙き、さらに『老子』を読むようになった。この「老荘思想」が分かるようになるに従って芭蕉の俳句がようやく理解出来るようになり、近江という土地の良さもより分かるようになった。

『老子』第二十章はこう続く。「誰もがみな有能であるのに、それなのにただわたしだけが、鈍《にぶ》くて田舎《いなか》くさい。ただわたしだけが人々と違って、道という乳母《うば》を大切にしたいと思っている」。

心の中にある「道」。思いを寄せる場所、川であり、湖であり……そんな場所があるからつらいことを乗り越えて行けるというかのようだ。

私もこの静かな湖に気持ちを寄せ、だんだんに心を吸い寄せられてきた。そして折々に湖を取り巻くこの近江という土地を訪ね、書き綴ってきた文章をまとめてみた。

如月真菜

湖を出る川――芭蕉とかけめぐる近江／目次

現代俳句時評

写真提供　義仲寺
（公社）びわこビジターズビューロー
装　丁　クリエイティブ・コンセプト

湖《うみ》を出る川

――芭蕉とかけめぐる近江

芭蕉とかけめぐる近江

義仲寺《ぎちゆうじ》

四方より花吹《ふき》入《いれ》てにほの波　　芭蕉

木曾義仲と松尾芭蕉の墓がある義仲寺が、ここ大津にあるということを、滋賀県民でも知らない人が多い。私も家人の転勤でこちらに来るまでは、義仲寺の芭蕉の墓は知っていても、大津だということは定かではなかった。
最寄り駅の膳所《ぜぜ》は、ＪＲで京都から三つ目だが、たった十分ほどの間にトンネルを二つも通過するからか、同じ関西の連衆からも「大津は遠くて」といわれるほどだ。

駅舎より琵琶湖の見えて雁渡る　　真菜

駅からまっすぐの坂は「ときめき坂」と呼ばれ、そのまま下ってゆくと細い

義仲寺（ぎちゅうじ）

旧東海道に出る。街道の道幅は江戸時代のままだ。今も現役の抜け道だが、ほとんどない歩道のすれすれを走り抜ける車に気を付けたい。もう少し北へ行くと琵琶湖畔だ。

芭蕉の「洒落堂記《しゃらくどうのき》」に「おもの、浦は、勢多《せた》・唐崎《からさき》を左右の袖《そで》のごとくし、海を抱《いだき》て三上山《みかみやま》に向《むか》ふ」とある通り、今も比良山と三上山を左右に眺めることが出来る。

まるでバージニア・リー・バートンの『ちいさいおうち』のように、ひっそりと取り残されたところに義仲と芭蕉の墓所はある。周囲にはマンションやショッピングセンターが立ち並び、義仲寺からも浜は望めない。

引っ越してきて四年経って、この寺が、かつて大津百町として栄えた商人の町と、石山寺へも近い膳所藩の城下町との、ちょうど境に位置していることが分かった。古地図などから見るとどちらにも属さない場所といって良いかもしれない。芭蕉は近江に門人が多い。大津の江左尚白《えさしょうはく》、河合乙州《おとくに》、河合智月《ちげつ》、膳所の菅沼曲水《きょくすい》（のちに曲翠）、水田正秀《まさひで》、濱田珍夕《ちんせき》（珍碩、のちに洒堂《しゃどう》）、彦根の森川許六《きょりく》、堅田に三上千那《せんな》といるが、それぞれ同じ近江でも藩や文化圏が違う。芭蕉は、どの弟子にもちょうどよい距離ということでここが気に入ったのかもしれない。

　ここでの私の句会は、たいがいは同じ旧東海道に面した古民家カフェでおにぎりセットのお昼を食べ、義仲寺境内の無名庵《むみょうあん》をお借りして行っている。伊藤若冲《じゃくちゅう》の天井画がある翁堂《おきなどう》は小さい池に面していて、初めて訪れた人はたいていこの池の亀で一句作る。この日も京都から久しぶりにやってきたメンバーが亀を観察していた。小さな庭だが、墓前には菊正宗のワンカップが供えられ、芭蕉も花を付け、曲翠や保田與重郎の墓など句材に事欠かない。

　句会が終われば下校中の学生に交じって坂を上り、なじみの珈琲屋で反省はしない反省会が定例となっているのだ。

木曾殿の墓に手袋とりにけり　真菜

堅田《かたた》～浮御堂《うきみどう》、本福寺《ほんぷくじ》、祥瑞寺《しようずいじ》

鎖《ぢやう》あけて月さし入《いれ》よ浮《うき》み堂　　芭蕉

病《びやう》雁《がん》の夜さむに落《おち》て旅ね哉

堅田を訪れるのは十七年ぶり。駅を出ると平和堂という滋賀県発祥の大きなスーパーマーケットがある。その手前の観光案内所で聞くと浮御堂までは歩いて三十分という。

かつてその近くにある「浪乃音酒造」の料亭「余花朗」で鰻をいただいた。そこは高濱虚子の弟子の中井余花朗氏の家で、「ホトトギス」の人ならよく知っている。「浪乃音酒造」を出て右に入ると満月寺浮御堂だ。

琵琶湖に突き出た浮御堂からは正面に対岸の三上山が見え、左手には近江八幡、その奥には伊吹山がうっすらと望める。

海の風と違って湖を渡る風は強くともさっぱりしている。ここには松尾芭蕉の句碑以外にも、虚子の句碑〈湖もこの辺にして鳥渡る〉や阿波野青畝の〈五月雨の雨垂ばかり浮御堂〉もある。

浮御堂を出て、湖魚の佃煮屋を通りすぎると本福寺。芭蕉の弟子の三上千那が住職をしていた寺だ。堅田から真向い、琵琶湖大橋を渡ったところが守山市、野洲《やす》市で、近江富士と呼ばれる三上山が鎮座している。その麓にはたくさんの磨崖仏や古墳があり、そこが三上氏の本拠地だ。大橋が出来るずっと昔から、対岸同士は舟での往来が今よりも活発だったという。境内にある幼稚園からは子どもたちの声が聞こえている。「こんにちは」と足早に立ち去って行ったのはこの園の先生だろうか。

本福寺の右手を曲がると宝井其角の父、竹下東順の屋敷跡の碑があって、其角がたびたびここを訪れたと記されている。〈蓬萊にあふみの婆々や松の雪〉など其角の婆の句が並び記されるが祖母は健在だったのだろうか。

私はこんな近くに有名な史跡が隣接するとは知らず、婆の句を思いながらつい通りすがりのお年寄りに声をかけた。その方はなんと九十歳になるという。そこが案内されて本福寺裏へ道なりに進むと細い堀川があり、竹藪が見える。そこが祥瑞寺だといい、「私はこの先なので」と門前で別れた。

正面の門は立派だが、このこじんまりした寺が一休宗純が若き日に修行した寺だという。寺は貧窮し師匠の薬にも事欠いたらしい。師が亡くなり、一休は琵琶湖で入水自殺を図ろうとしたこともあったそうだ。寺は大徳寺派だが、京都の大徳寺の塔頭《たっちゅう》の立ち並ぶ大きさを思うと驚くほどの小ささ。門を入ると、すぐに森澄雄氏の句碑がある。有名な〈秋の淡海かすみ誰にもたよりせず〉だ。左手の奥の竹林に入っていくと芭蕉の句碑〈朝茶のむ僧静《しづか》也菊の花〉がある。

荘子に影響を受けた芭蕉は、やはり老子、荘子に影響を受けた禅宗に親しみを持っていたのかもしれない。

しぐるゝや此も舟路を墓参り　其角
病雁や常とは違ふ岸につき　真菜

膳所城下～曲翠邸《きょくすいてい》、洒落堂《しゃらくどう》

行《ゆく》春を近江の人とおし(を)みける　　芭蕉

膳所は古くは壬申の乱の頃から知られ、その名については供御《くご》として食料を納めたのを由来とするなど諸説ある。

栗津湖底遺跡があり、発掘時にはセタシジミの化石がたくさん出てきたという。今でもこの界隈には湖魚の佃煮屋や鰻屋、鮒鮓の店がいくつもある。

京へ向かう要所のため、築城の名手、藤堂高虎の縄張り（設計）で造られた膳所城は、琵琶湖に突き出た四層の水城だった。明治になって廃城。今は緑が生い茂る膳所城跡公園となり、近くに高層マンションが見える。この片蔭で句を作るのもいい。

江戸時代、本多家六万石の城下だった町は、その面影を各所に残し静かだ。

大津の江左尚白の紹介で芭蕉の弟子となった者も多く住み、膳所藩士の菅沼曲翠やその弟の高橋怒誰《どすい》、水田正秀、医師の濱田洒堂らがよく知られている。

膳所城跡公園の門を出るとかつての膳所城の姿を模した市民センターがあり、その一角の歴史資料室で開かれていた古地図の展覧会を見に行ったことがある。芭蕉の没後に曲翠は、悪政をしいていた家老を刺し、自らも切腹したため、やはり幕末の地図にその屋敷はない。だが、元禄期の城下図には「菅沼外記邸」と記されていた。今も中庄の不動筋にある曲翠ハイツというアパートの前に屋敷跡の碑が建っている。

夏の夜や崩《くづれ》て明《あけ》し冷《ひや》し物　　芭蕉

露ははらりと蓮の縁先　　曲翠

曲翠邸跡からすぐの東海道に出ると、小さなパン屋から焼き立ての香りがしてくる。そこを右手の湖岸道路側へ。すぐ角に戒琳庵という小さな尼寺がある。ここが「洒落堂記」に記されたかつての洒堂旧居（洒落堂）だ。

黒南風に入り難くて洒落堂　　真菜

曲翠と洒堂は目と鼻の先に住んでいたのである。その前の細い道を湖岸まで抜けると、膳所藩主の隠居所のあった御殿浜のあたりには〈四方より花吹入てにほの波〉の芭蕉句碑がある。左手には膳所城、右手の奥に唐橋を望む。

芭蕉はこの地を気に入り三年ほど滞在したのち、また江戸へと帰っている。しかし芭蕉と膳所、大津の門人たちとの多くの書簡を読むと、心からこの地の人たちを愛し、心を開いていたことが分かる。

元禄七年の曲翠への一通には「竹助殿《たけすけ》（曲翠の子息）御成長、其《その》妹御（曲翠の娘）、見ぬ内《うち》より御なつかしく候。御染女《おそめぢよ》（曲翠の娘）、御息災たるべく候」（かっこ内は筆者註）と追伸が書かれているなど、その家族についての親しさも知ることが出来る。

大津〜近江茶

朝　茶　の　む　僧　静《しづか》　也　菊　の　花　　　芭蕉

比叡山の僧・最澄が唐から持ち帰った茶種を、日本で初めて栽培したのが大津だ。宇治にも近い。

膳所とともに芭蕉の門人が多かった大津は、東海道で京からの最初の宿場町。今も古い町家が並ぶ。大津宿は江戸時代から菓子が有名で、昔は近江茶を扱う店が多かったに違いない。現代も茶道が盛んで、我が家の子ども三人も茶道体験に行っている。

この大津宿に中川誠盛堂茶舗という近江茶の店がある。この店は幕末の安政創業だ。

店主にお勧めを聞くうち俳句の話になった。なんと「うちの父も俳句をやっているんですよ。『花藻』という結社の主宰だったのです。湖岸に句碑があるので見て下さい」という。オペラ会場として有名なびわ湖ホールのそばに句碑はあった。

元禄四年五月二十三日、芭蕉は膳所の水田正秀へ手紙を書いている。「一書致二啓上《けいじやういたし》一候。愈《いよ》々御無事、御老母様・御《お》子達御無事被レ成二御座《ごぶじにござなされ》一候哉《や》。漸《やう》〱ほいろのにほひうつくしく、御とり込推察令レ存《こみすいさつにぞんぜしめ》候」。「ほいろのにほひうつくしく」とは製茶する匂いのことで、茶摘み時でお忙しいことと存じます、という意味。正秀は茶の商いに関係していたのだろう。芭蕉から向井去来《むかいきよらい》への書簡にも「此方《このはう》智月宅も茶時《どき》、正秀《まさひで》も其通取込《そのとほりとりこみ》」と書かれており、河合乙州とその母・智月は伝馬役（街道筋にあって馬の手配をする者）だったが、五月は茶摘みに忙しかったようだ。

しがらきや茶山しに行《ゆく》夫婦づれ　　正秀

また正秀が、盆見舞に芭蕉の実家へ茶を贈った際には「同姓方へ茶被レ遣被レ下《つかはされくだされ》、あの方能《よき》茶無二御坐《ござなく》一候へば、別而《べつして》忝存候」と伊賀には良い茶が出来ないと芭蕉は書いているが、三重県は今や茶の生産量全国三位だ。

中川誠盛堂茶舗の一筋南に天孫神社があり、その南側の歩道に芭蕉が歌仙をまいた本間邸跡の句碑がある。神社では毎年十月、十三基の曳山や練り物が出る大津祭が催される。江戸初期に始まったが、京に近いので祇園祭とも関係が深い。伊勢松坂三井家から大津祭の曳山の装飾用に買われたベルギーのタペストリーは、それを分けて祇園祭の鶏鉾にも飾られている。

今や世界中からの観光客で混み合う京都で、祇園祭の良さにゆっくり浸るのは難しい。

だが、古き良き京の面影を見せる大津祭なら、一服の茶に江戸の昔を想うのも難しくはない。

菊日和京のお人と思ひしが　　真菜

湖東《ことう》の港～瀬田《せた》、矢橋《やばせ》、志那《しな》

五月雨《さみだれ》にかくれぬものや瀬田の橋　　芭蕉

東海道を京から、大津、膳所と来て粟津を抜け、JR石山駅を越えると左手に瀬田の唐橋がある。このにならないという要所である。畿内を制する者はこの唐橋を越えて京に入らなければならないという要所である。琵琶湖に流れ込む川は数多あるが、流れ出るのはこの瀬田川のみで、この先は宇治川となり淀川となって大阪湾にそそぐ。唐橋を渡ると今でも蜆漁が行われている瀬田漁港がある。

無き人の小袖も今や土用干　　芭蕉

『猿蓑』にある一句。芭蕉が弟子の向井去来の妹・千子《ちね》を悼んで詠んだ。昭和三十二年発行の川島つゆ著『女流俳人』という一冊がある。以前、加藤郁乎氏から薦められたものだ。これを読むと「去来一門の女流」として、去来の妻・可南《かな》や田上尼と並んで千子が出てくる。千子は兄・去来とは年が離れ、京都で生まれたらしい。元禄元年五月十五日に若くして亡くなっている。『猿蓑』や『伊勢紀行』などに数句が伝わっている。

葉月《はちぐわつ》や矢《や》橋《ばせ》に渡る人とめん　千子

千子が去来と伊勢参りの旅に出た折に詠んだ句だ。ここにある矢橋は我が家から近い。草津市の南にある湖の古い港だ。江戸時代には東海道を矢橋道へ入り、舟で大津へショートカット出来るので大いに流行った。ただこの港は向かいに聳える比良山、比叡山から吹き下ろす風に荒れることも多く、矢橋を使わずに「急がば回れ瀬田の長橋」といわれた。今は旧矢橋港として、小学生の船上学習船が寄港する際などにだけ使われている。

もえやすく又消えやすき螢哉　千子

いもうとの追善に

手のうへにかなしく消《きゆ》る螢かな　去来

川島氏によれば、「伊勢詣での翌翌年に死んだので、この二年足らずの間に結婚して子供を産んだと、大体考えられて来たのであった」が、これでは当時としては晩婚すぎ、「千子は一度清水氏に嫁して一女を挙げたのち、何かの理由で不縁となつて実家に戻つた」のではと荻野清氏の説を引いている。

この矢橋港が発展する以前の室町時代には、草津市北の志那港が使われていた。志那港も荒天に弱く、矢橋が発展すると廃れたという。ここは俳諧の祖・山崎宗鑑の生誕地といわれる古い町だ。田んぼの中の長い参道を歩くと志那神社だ。南に作られた鳥居の他に、本殿脇の琵琶湖側に古い鳥居がある。今は田んぼに向かうばかりだが、かつては舟でここに着いたのだろう。湖を挟んで真向いの対岸は堅田だ。宗鑑が敬愛した一休が修行した祥瑞寺がある。

志那に買ふ真珠青みて宗鑑忌　　真菜

三井寺《みいでら》〜大津絵

三日口《みつか》を閉《とぢ》て題二正月四日一《しやうぐわつよつかにだいす》

大《おほ》津《つ》絵《ゑ》の筆のはじめは何《なに》仏《ぼとけ》　芭蕉

逢坂《おうさか》の関から大津へ入り、札《ふだ》の辻で左に曲がると北国《ほっこく》街道だ。この札の辻は江戸時代以前に大津城の外堀があった場所で東海道に突き当たるところ。右に曲がれば膳所へ東海道が続く。

北国街道側は今は長等《ながら》商店街だ。かつては三井寺門前町として栄え、大津の町とは近いがまた違う文化が発展していた。昭和三十九年刊の『図説俳句大歳時記』（角川書店）を繙くと新年の部に「綱引」の季語がある。これに、三井寺の門前町と大津の町が綱引きをし、その勝敗でその年の豊作を占ったとある。ちょうど芭蕉が『冬の日』をまとめた頃の書物『日次紀事』（貞享《じょうきょう》二年）から引用すると「江州大津の人、三井寺門前の人と、各々原野において、左右に分列して互に大綱を争ひ引く」とあるので、芭蕉も知っていただろう。

この街道筋には、大津の町ではコンビニより多いといわれる寺社や、和菓子屋、大津絵の店など門前町らしい町並みが続く。琵琶湖疎水の橋を渡ると長等《ながら》山《やま》の麓に三井寺大門が見えてくる。

私が初めて大津絵を見たのは、東京駒場の日本民藝館でだったが、古い階段を上った先に鬼が三味線をかき鳴らすあの有名な「鬼三味線」の絵があった。それは韓国の民画のようで何ともユーモラスであり、ああ民芸とはこういう風に何気無く楽しめるものなんだと理屈抜きに教えられた気がしたものだ。大津絵は江戸初期に浮世絵師又平が始めたものといわれ、もともとは仏画だったが芭蕉の時代から今も大津土産になっている。

冒頭の大津絵の句は元禄四年の曲翠宛ての書簡に〈住《すみ》つかぬ旅のこゝろや置《おき》火燵《ごたつ》〉〈人に家をかはせて我はとし忘れ〉のユーモラスな句とともに書かれており、この頃から芭蕉が「かるみ」を句に求めてゆくさまがよく分かる。

三井寺の門《もん》たゝかばやけふの月　　芭蕉

三井寺大門

元禄四年の十五夜に芭蕉は大津の門人たちと琵琶湖へと舟遊山をした。その際に興にのってこの句を詠んだといわれる。舟は大津の東端にある松本を出た、とあるので、今も松本にある小舟入の常夜灯のあたりの浜だろうか。ここはかつて琵琶湖の入り江があり、矢橋への舟も出た場所。街道も大いに発展していたが、やはり近江は船での移動が速いのだ。現代となっても琵琶湖疏水を利用した観光船を京都まで通すなど、船が日常の中にある。

長男を乗せ船着くや春の岸　真菜

西教寺《さいきょうじ》

月さびよ明智が妻の咄《はな》しせむ　芭蕉

新しい大河ドラマが明智光秀だというので、家族で大津の坂本にある西教寺へと出掛けた。光秀は、織田信長に仕え、近江の城主まで登りつめたが、本能寺の変を企て、羽柴（豊臣）秀吉に討たれた。その光秀一族の菩提寺だ。

お天気のいい日曜日、三人の子どもたちは私の寺社めぐりに付き合わされてうんざりした様子だ。滋賀に引っ越してからは文化財を身近に見られるとあって学生時代の古美術研修旅行ばりに精力的に出掛けていたので、飽きさせてしまったようだ。帰りには、今流行りのびわ湖テラスにでも寄って、家族サービスで埋め合わせをしなければ。

まずは墓所にお付き合いいただいた。ここには、光秀の妻・熙子《ひろこ》の墓もある。

芭蕉の句に詠まれた良妻賢母、「明智が妻」だ。この句の句碑が境内にある。

掲句は元禄二年、伊勢神宮の御師《おし》・島崎又玄《ゆうげん》の家を芭蕉が訪れた際に詠まれた。又玄は蕉門の一人で、義仲寺境内に〈木曾殿と背中合せの寒さかな〉の句碑があることで知られる人物だ。

光秀は信長に仕える前に越前の朝倉義景のもとにあったが、そこを辞して一時貧しい浪人暮らしをしていた。あるとき連歌の会の客が来ることになった。妻は客人をもてなすため、髪を売って費用を賄ったという。冒頭の句はそのエピソードを下敷きに、心を尽くしてもてなしてくれた又玄の妻への挨拶の句だ。

行春《ゆく》を近江の人とおし《を》みける　芭蕉

芭蕉はこう詠んだが、近江には古来、「おしいなあ」という人材が集まった。近江は京都へ向かう要衝として街道も多い。逢坂の関を越え、瀬田の唐橋を渡り、あるいは遠く不破の関や関ヶ原を越えて落ち延びながら、挽回の機会を得たいと思う強者が、この国にやって来たのだった。

壬申の乱に始まり、芭蕉が敬愛した木曾義仲、光秀など、この近江の地で、道半ばにして討たれた者がこんなにも多いとは。

西教寺の総門は天正年間、城主光秀が坂本城の門を移築したと伝えられている。「道半ば」という言葉をかみしめながら私は参道を辿り、門をくぐった。芭蕉の「惜しむ」心には、「吾が世の春」を目指しながら挫けた者たちも含まれていたのではないか。あと一歩で春を知り得たはずの者たちを惜しみつつ、その者たちを含めた「近江の春」を惜しんだのだろう。

みづうみの匂ふ一日や翁の忌　　真菜

竜《たつ》が丘《おか》俳人墓地

比良みかみ雪指《さ》シわたせ鷺の橋　　芭蕉

竜が丘俳人墓地は、膳所駅を義仲寺とは反対方向へ出た国道一号線沿いのラーメン屋の敷地内にこじんまりとある。膳所駅周辺はかつての義仲寺の裏山で、この墓地は今でも寺領だ。ここ数年で駅ロータリーの琵琶湖側に芭蕉句碑も建ち整備されたが、竜が丘側へはぐるりと陸橋を渡るので少し遠回りをする。

ここには芭蕉の弟子の内藤丈草《ないとうじょうそう》の「仏幻庵《ぶつげんあん》」があった。丈草は蕉門十哲にも数えられ、もと犬山藩士だが、病弱のため藩を辞し出家して京住まいの頃、芭蕉に入門。元禄六年に湖南すなわち膳所に移住し、芭蕉の没後も十年、庵を守り師の菩提を弔い、四十三歳でこの世を去った。庵の跡も、今では四畳半ほどのこの場所が墓地として残るだけだ。十数名の俳人の墓が、芭蕉追悼のために

俳人たちの墓が経塚を中心に円を描くように並ぶ

丈草が建てた経塚を真ん中にして円を描くように並んでいる。

この墓地にあるのは、丈草の墓をはじめ水田正秀、東華坊（各務支考）、蝶夢など近代まで。中には壊れて字の読めないものもある。

囲まれた木々の間からは、膳所駅越しに三上山が見え、左手には比叡山の奥に比良山が見える。義仲寺から見ればだいぶ坂を上ってきたので、昔はさぞや展望が良かっただろう。冒頭の芭蕉の句のような景色だ。私は句が出来ないときにはよくここに来る。

丈草の句は、現代の私たちでもよく分かる。例えば、

幾人《いくたり》かしぐれかけぬく勢田の橋　丈草
水底を見て来た貌《かほ》の小鴨哉
悔《くやみ》いふ人のとぎれやきりぐす

芭蕉が晩年近くに提唱した「かるみ」の、そのよろしさを理解するために丈草の句は役立つ。

大阪での芭蕉の臨終のとき、丈草はこんな句を詠んでいる。

うづくまるやくわんの下のさむさ哉《かな》　丈草

病床の芭蕉の薬を薬缶で煎じている。そこに、門人たちが集まっている。「さむさ」とだけいい、「悲しい」などとは主観を記さない作りだ。

「旅寝論」に向井去来はこう記す。「我蕉門に年ひさしきゆへに虚名高しといへ共、句におゐて其しづかなる事丈草に及ばず」と。そういわれた丈草と同じ文章に「たくみなる事正秀に及がたし」といわれた水田正秀も墓を並べている。

駅舎より琵琶湖の見えて雁渡る　真菜

野洲《やす》、北村《きたむら》

稲こきの姥《うば》もめでたし菊の花　　芭蕉

琵琶湖線の「野洲」という駅がある。北村季吟《きぎん》は松永貞徳の弟子で、芭蕉とその主君・藤堂良忠の俳諧の師だった。『源氏物語湖月抄』などの膨大な古典注釈の業績も有名だ。今日は季吟の生誕地が見たくて野洲駅に降り立った。

野洲は、近江富士といわれる三上山を東に、野洲川と日野川に挟まれた扇状地で、古くは渡来人によって、製鉄や織物で拓かれた。鍛冶師の祖神である御上神社、磨崖仏や多くの銅鐸が出土した大岩山古墳群など史跡が至る所にある。この三上山の手前、行畑《ゆきはた》というところで中山道は二手に分かれ、山沿いは中山道となる。琵琶湖側は朝鮮人街道と呼ばれ、もとは徳川家康が上洛の際に通った縁起のいい道で、江戸時代には朝鮮通信使がここを通った。

季吟の出身地である北村は、この朝鮮通信使の道を近江八幡へ抜ける途中にあった。付近には家康の宿泊所や休憩所であった永原御殿跡や平安時代の庭園が有名な兵主《ひょうず》大社もあり、中世には、近江猿楽や連歌の文化が栄えた。『平家物語』で有名な祇王《ぎおう》、祇女は野洲の北村の出身で、平清盛に願い出て村の灌漑をさせたと伝わる。その祇王井川が今も流れている。

二時間に一本のコミュニティーバスを逃したのでタクシーに乗った。季吟の句碑のある「北」までお願いしますというと、その運転手の方は俳句を作るというので驚いた。彼が今作っている菊の句について話しつつ向かった。

祇《ぎ》王《わう》井《ゐ》にとけてや民もやすこほり　　季吟

句碑の看板には「江州野洲郡永原といふ所にて興行に」と前書きがあり、祇王井を詠んだもの。永原での興行とあるのは、やはり近隣の永原御殿跡そばの菅原神社のことだろう。季吟は医者の家に生まれたが、祖父がここで連歌の興行をしていたという。

運転手の方は「私たちは『北』といったら信号の交差点ですが、この句碑のある北自治会館があるところは『北村』といっています」と教えてくれた。地図にはないが、今も昔の地名が生活に息づいている。

冒頭の句も芭蕉が北村で菊を詠んだといわれるものだ。

北村何某《きたむらなにがし》のもとへ道《みち》びかれけるに、松・もみぢすみかをかこみ、菊・鶏頭《けいとう》庭にみだれて、秋のものどもなど、とり入《いれ》ゆゝしく見え侍れば、

いねこきの姥《うば》もめでたし庭のきく　　ばせを

という句の形で、元禄四年に江戸へと帰る旅の記述にある。季吟と芭蕉は違う俳諧の道を辿るが、師匠に対する敬意とこの集落のゆかしさを今に伝える一文だ。

残菊やその文に胸ざはざはと　　真菜

命二つ〜水口《みなくち》

命《いのち》二つの中に生《いき》たる櫻哉　芭蕉

今回はこの「命二つ」の句碑のある水口を訪ねた。

草津線の草津駅で、三重の柘植《つげ》方面へ乗り換え、貴生川《きぶかわ》でもう一度近江鉄道に乗り換える。貴生川駅に着くとにわかに時雨が上がり、ぐっと冷えてきた。琵琶湖の周りは時雨が多い。芭蕉は「時雨の翁」といわれるほど時雨が好きだった。

近江鉄道は、懐かしい趣の二両のワンマン電車だ。車内放送で甲賀忍者のガイドを聞きながら長閑な景色を進む。無人駅の水口で慌てて降りたのは、私と中年男性の二人だけだった。

水口は、旧東海道の宿場町だ。江戸時代に水口城が築城され、それ以前にあった城（水口岡山城）の跡は古城山と呼ばれる。芭蕉が郷里伊賀から近江や京へ出る際は、いくたびも通ったに違いない。

句碑は、古城山近くの大岡寺《だいこうじ》にあった。全国の芭蕉句碑の中で最も古いものといわれている。

「甲子吟行」には、「水口《みなぐち》にて二十年を経て、故人に逢ふ」との前書きがあって、この句がある。故人は、同郷の門人の服部土芳《どほう》か水口蓮華寺住職の寸庵のどちらかだといわれている。土芳は幼少時に芭蕉と親交があったが、「野ざらし紀行」の旅にあった芭蕉を追いかけ、ここ水口で二十年ぶりに再会した。

大岡寺の寺伝によれば、創建は白鳳十四年（六八六年）で行基作の十一面千手観世音像を安置していたが、天正二年の兵火でことごとく焼けたという。やはりここも織田信長が関係しているのかと思う。

境内には、児童文学者で俳人の巌谷小波《いわやさざなみ》の父、水口藩の侍医・書家の巌谷一六《いちろく》の記念碑もあった。

碑文を読んでいると、隣の学校からお昼のチャイムが響いてきた。寂しくなるような「ふるさと」の曲だった。

暖冬とはいえ、梅も桜もまだつぼみは固い。帰りは一つ駅を戻って、近江八幡市にあるヴォーリズ建築の図書館を見ていこうと思った。ウィリアム・メレル・ヴォーリズは信徒伝道者で近江兄弟社を起こし、メンタームを販売したことで知られる。

彼の設計した建築が滋賀の各所にある。水口にもあるのだが、結局見つけられず二駅も歩いてしまった。

やっと駅に着くと雪時雨が降ってきた。

強風に吹かれ着くなり門礼者　　真菜

唐崎《からさき》の朧

辛《から》崎《さき》の松は花より朧《おぼろ》にて　芭蕉

今榮藏著『芭蕉書簡大成』は、この連載を始めてからとてもお世話になっている一冊。芭蕉がさまざまな弟子に宛てた書簡が詳しく読める。どの弟子にも親身になって書いているのが分かるし、弟子たちもまた、師匠に心を尽くして教えを乞うていたのが伝わってくる。

　この稿を書いている今、新型コロナウイルスで出掛けられないので、この一冊で芭蕉とともに机上旅行に出よう。

　有名な唐崎は、おととしの初夏に初めて訪れた。芭蕉の見た時代の松はもう絶えて、何代目かの松ではあるけれども、それでも樹齢は二百五十年から三百年。心が洗われるに違いない。金沢の兼六園の松もここから種を取り寄せて育てたものだという。

ここはぐっと琵琶湖に張り出していて、一つ松を囲むように生える小松の間から、傍らのマリーナが見え、湖上に遊ぶ人たちにはちょうど良い天気の日だ。時雨の多い近江ではめずらしい晴天。松の木蔭では人々は昼寝三昧。夏でも風の荒い湖東と比べると、ゆったりとした風にのり、ウィンドサーフィンの人も優雅だ。

三上千那宛ての貞享二年五月十二日の書簡には、

貴墨辱《かたじけなく》拝見、御無事之《の》由、珍重奉《ちんちように》レ存候。

其元《そこもと》滞留之内《うち》得二閑語《かんごをえ》一候而、珍希覚《ちんきにおぼえ》申候。
一、愚句其元に而《て》之《の》句、
辛《から》 崎《さき》 の 松 は 花 よ り 朧 に て
と御覚可レ被レ下《おんおぼえくださるべく》候。

とある。

この句に関しては、この本の脚注で「朧にて」にするか「朧かな」にするか、千那や江左尚白との間で話題になったようだとある。『去来抄』の中に、芭蕉が凡兆にいった言葉として「一句わづかに十七字也。一字もおろそかに思ふべからず」とある。また、膳所に住む濱田洒堂を教え諭すのに、一句を「金を打《うち》延《のべ》たる如く成るべし」といったとも記す。その作句についての考えにも、この句の件は通じているのではないだろうか。

朧の如く、曖昧なぼんやりとする句には「かな」の切字の持つきりりとした味わいは持たせず、発句でありながらも付け句のような切れのゆるい作りで作るのが良いと思ったのだろう。

そして私が唐崎を訪れたときのような、晴天の日には、やはりきりりとした切れの「かな」で一句を締め括るのがいいのかもしれない。

唐崎の松が枝そこに昼寝かな　　真菜

瀬田

獺《かはうそ》の祭見て来よ瀬田のおく　芭蕉

元禄三年、芭蕉は前年の『おくのほそ道』の旅のあと大津で年を迎えた。正月明け、早々に最愛の弟子・坪井杜国《とこく》（万菊丸《まんぎくまる》）に宛てて、「正・二月之《の》間、伊賀《いが》へ御越待存候《こしまちぞんじ》」と書くも、杜国はその春、三十余歳という若さで亡くなってしまう。芭蕉の心中はいかばかりだっただろう。傷心や長旅の疲れを大津、膳所の弟子は癒したのだろうか。

その後、膳所にありながら、菅沼曲翠、その弟の高橋怒誰や、濱田洒堂、河合乙州らに頻繁に文を書いている。とくに怒誰は兄・曲翠の江戸勤番中に芭蕉の世話をし、また『荘子』に深く傾倒する点でも芭蕉が格別に親交を深めた弟子だ。

君やてふ我《われ》や荘子《さうじ》が夢心　芭蕉

という『荘子』の「胡蝶之夢」を下敷きにした句を作り、贈っている。

また、同じ元禄三年の春に「膳所《ぜぜ》へゆく人に」と題したのが冒頭の、〈獺の祭見て来よ瀬田のおく〉の句だ。この正月から二月にかけて、伊賀へ帰郷した際に、膳所へ行く弟子へ贈ったのではないかといわれている。

私が住む瀬田は、瀬田川を挟んで膳所、石山と向かい合うところ。南は田上《たなかみ》、北は大萱《おおがや》という古い土地で、瀬田駅からすぐの萱野神社は開化天皇が祭神だ。ここ何年かで宅地化が進み、もとはアメノヒボコ伝説のある製鉄遺跡が多かったところに建売住宅やマンションが並び、その間に今も鉄工所がある。

芭蕉のいう「瀬田のおく」は、古代、渡来人たちが日本海側から入ってきた道沿いに、数えきれないほどの製鉄遺跡があり、東山道として奈良時代ごろから往来が盛んだった。今でも、東海道と並行するこの細道は日常の通学路として使われている。

瀬田漁港の西の湖底には、粟津湖底遺跡がある。およそ四五〇〇年前の縄文時代に集落の共同の炊事場、あるいは貝塚として使われた跡だ。湖底の地層には、春には瀬田蜆、夏には鯉や鮎、秋には橡や菱の実、冬は猪……と、さながら歳時記を見るような、四季それぞれの産物の殻や骨が埋まっている。

芭蕉はそれを知っていたのか。「獺《おそ》の祭」とは、獺《かわうそ》が魚などの獲物をすぐに食べずに岸に並べて置くという、それがさながら祭りのようだという季語なのだから。

淡海より出る川ひとつ水の秋　　真菜

幻住庵《げんじゅうあん》

先《まづ》たのむ椎《しひ》の木も有《あり》夏木立　芭蕉

元禄三年の夏、芭蕉は近江国大津にある国分山の幻住庵へ滞在した。ここは膳所の弟子、菅沼曲翠が、伯父・幻住老人と呼ばれた菅沼定知の庵だったものを、手入れして芭蕉の夏の住処として提供した。曲翠は公私ともに芭蕉を支え続けたのだ。

曲翠はちょうどその頃、膳所藩・本多候について江戸勤番となり、庵での芭蕉の暮らしの世話は、曲翠の実弟である高橋怒誰や河合乙州、河合智月はじめ膳所の門人たちに任されたようだ。

芭蕉は前年の『おくのほそ道』の旅のあとの心身の疲れを癒したいと、李白や杜甫、あるいは山崎宗鑑といった憧れの人のように、どこかへ隠棲したいと

芭蕉の没後300年を記念し再建された幻住庵

思ったのだろう。庵へ入った始めのうちは『荘子』を手に「かりそめに入《いり》し山の、やがて出《いで》じとさへおもひそみぬ」と「幻住《げんじゅう》庵記《あんのき》」に記している。近江の夏は涼しすぎた。

　現代でも大津は、夏は大阪や神戸に比べ二、三度気温が低い。さらに石山に近い国分山なら朝晩は寒い風も吹くかもしれない。持病の悪化もあり、芭蕉は三月半ほどで山を下りることにした。この、短い滞在中に書いた友への手紙の多さを思えば、人との繋がりを断って山に籠ることに無理があったのだろう。滞在中の乙州への手紙では「爰元《ここもと》も少々退屈いたし候」などとこぼしている。

短い文章ではあるが、この夏のことを言葉を尽くして綴られる「幻住庵記」。鴨長明の『方丈記』を思わせるその文章には「日枝《ひえ》の山、比良《ひら》の高根《たかね》より、辛崎《からさき》の松は霞《かすみ》こめて、城有《しろあり》、橋有、釣《つり》たるゝ舟有、笠《かさ》とりにかよふ木樵《きこり》の声、麓《ふもと》の小田《をだ》に早苗《さなへ》とる歌、蛍飛《ほたるとび》かふ夕闇《ゆふやみ》の空に水鶏《くひな》の扣音《たたくおと》、美景、物《もの》としてたらずと云《いふ》事なし」とある。

平成になって、近津尾《ちかつお》神社境内に幻住庵が再現された。その傍らには、芭蕉保存会の方が手入れをしている椎の木が何本も生え、元禄の頃の木の子孫だろうかと思いを馳せる。芭蕉が門人たちに宛てた文には蛇が多いことがたびたび出てくるが、現代にあっても大津は琵琶湖の近く、川も多ければ蛇にもよく出くわす。赤茶色のものはヤマカガシだから気を付けて、などと蛇の種類にも詳しくなった。

梅雨雲やみるみる消して国分山　　真菜

粟《あわ》津《づ》

木曾の情《じやう》雪や生《はえ》ぬく春の草　　芭蕉

この句は元禄五年の作だ。この時期の芭蕉にしてはどうも直情すぎる。だが、木曾義仲という直情すぎる若武者を思えば、その気質を句の形でも表したというべきなのだろうか。

ＪＲ石山駅を降りてすぐの京阪電車への乗り換え口の前に芭蕉像がある。杖を手に俳聖と呼ばれた人は堂々と立っている。ここは石山寺や幻住庵へ登る入口にあたり、膳所から南下してきた東海道が瀬田の唐橋へと東に折れるところ。

芭蕉像がある唐橋方面とは反対側に下りると、湖岸に向かっているのが旧東海道だ。近江八景で「粟津の晴嵐《せいらん》」と呼ばれた松並木はかつて旧東海道沿いにあり（現在は琵琶湖そばの遊歩道に再現）、近くには義仲の家臣としてその最期をみとった今井兼平の墓がある。義仲が討たれる前に巴御前と別れた粟津の原は、このあたりだったかと思いを馳せる。

今、瀬田、石山は「東レの都」と呼ばれ、粟津の原は工場地帯に、また膳所藩主の隠居所の別邸があった御殿浜は結婚式場になっている。松林の間からは琵琶湖が瀬田川になるあたりが望める。芭蕉でなくても、『平家物語』の「盛者必衰」という言葉を思い出す。

大阪の御堂で亡くなった芭蕉はたまたま大津に葬られたわけではない。「偖《さて》から（亡骸）は木曾塚に送るべし。爰《ここ》は東西のちまた、さゞ波きよき渚《なぎさ》なれば、生前の契《ちぎり》深かりし所なり」（かっこ内は筆者註）と遺言を残したのだ。『おくのほそ道』の旅でも義仲の古戦場である倶利伽羅《くりから》峠や燧ヶ城《ひうちがじょう》を通っている。源義仲、木曾義仲と呼ばれた人はどういう魅力があったのだろうか。

義仲寺では毎年、その命日の一月二十日に信州木曾から弔いの人々を迎える。義仲の末裔の方と、木曾節の踊り手たちだ。

木曾節を「〽木曾のなあ義仲さあん、木曾の義仲さあんはナンジャラホイ。今でも誇りい、ヨイヨイヨイ」と唄い、大津の「芭蕉と義仲の会」、木曾の「義仲・巴ら勇士讃える会」の方々が振舞い酒を配ってくれる。

田舎武者といわれながら、朝日の昇る勢いで征夷大将軍となった義仲だが、すぐに疎まれ源義経率いる鎌倉勢に討たれた。芭蕉は死後もその人の隣にありたいと思ったのだ。

其《その》春の石ともならず木曾の馬　　乙州

芭蕉の弟子、河合乙州の句。名馬として『平家物語』にも出てくる義仲の愛馬、鬼葦毛《おにあしげ》。主人とともにその命の終わりを迎えたが、義仲の墓はあってもあの木曾馬は石馬となって貴人を守ることもない。今、義仲寺境内には、賑やかに芭蕉の墓やさまざまな供養塔があるけれども。

移動図書館さざなみ号も喜雨の中　　真菜

彦根 ①

許六が木曾路におもむく時

旅人のこゝろにも似よ椎《しひ》の花　　芭蕉

芭蕉の近江の弟子といえば、筆頭にあげられるのは森川許六だ。芭蕉に入門したのは元禄五年、彦根藩藩士として江戸詰めだったとき。芭蕉は元禄二年から四年にかけて近江に滞在したが、その後彦根を経由し江戸へ戻っていた。元禄五年の当時、芭蕉庵には、その翌年に結核で亡くなる甥の桃印《とういん》、また膳所から俳句の武者修行に出てきて寄宿していた濱田洒堂もいた。芭蕉が面倒見が良いといっても、いったい深川芭蕉庵はどの位の広さだったのだろうか。

十《とお》団《だ》子《ご》も小《こ》粒《つぶ》になりぬ秋の風　　許六

これは芭蕉が「此句《このく》しほり有」（『去来抄』）と評した句。「十団子」とは東海道宇津ノ谷峠の麓で売られる名物。江戸の頃はどうだったか分からないが、実際に見ると本当に小さい粒で、ブレスレットのように輪にしてある。

以前、愛媛の「俳句甲子園」という高校生の俳句大会で審査員を務めた縁で、ここ何年か彦根で行われる地方大会の審査員をしていた。ある年は彦根東高校で試合があった。この高校は彦根城のすぐそばにあり、かつての藩校だった。

高校生たちの熱戦を見て興奮が冷めない帰り道、許六の墓所に寄り道をした。地図を片手に探すと、朝鮮通信使の通った朝鮮人街道近くに屋敷跡がある。先ほどの高校生たちの試合の余韻が残っているからだろうか。ただ石碑が建つばかりだが、昔からの道すじが遺ることに胸が熱くなった。

少し戻り、彦根駅方面に細道を行くと墓所の寺があるはずなのだが容易に見つからず、やっと見つけた案内の石碑はとてもさりげないものだった。

元禄五年八月に入門以後、翌六年五月に近江に戻るまでの、許六と芭蕉の書簡は、現存するだけで九通もある。帰藩にあたって芭蕉は「許六離別《きょりくりべつ》の詞《ことば》（柴門ノ辞）」を贈っている。

「古人の跡をもとめず、古人の求《もとめ》たる所をもとめよ」と空海の言葉を引いて出会いを喜び、別れを惜しんでいる。芭蕉の書簡を読んでいると、門人一人一人に思いを寄せ、ときに熱くなることもある芭蕉の気質が見える。許六は晩年に愛された弟子だった。

私はそのまま駅へ向かい、新快速を待つ間に銘菓「埋《うも》れ木《ぎ》」を買い、彦根をあとにしたのだった。

この道をいはれるままに墓参かな　　真菜

彦根②

百歳《ももとせ》の気《け》色《しき》を庭の落葉哉　芭蕉

彦根の明照寺《めんしょうじ》で芭蕉が詠んだ句。そこにずっと行ってみたいと思っていた。私と同じ俳句会にゆうきさんという方がいて、以前、『近江の埋もれ人』という本をくださった。彦根の人々について、彼の伯父上・角省三氏が書いた一冊だ。ここには芭蕉の弟子の河野李由《こうのりゆう》について詳しく書かれている。

近江の国は江戸時代、膳所藩、彦根藩、水口藩など多くの藩に分かれていた。「埋もれ人」というタイトルは、彦根藩主であった大老・井伊直弼《いいなおすけ》が若き日を過ごした「埋木舎《うもれぎのや》」からとったものだろう。偶然か、繋がりがあるかは定かではないが、芭蕉の遺書には「埋木《うもれぎ》　半残《はんざん》方に有レ之候」という一文がある。

ここでいう「埋木」は師であった北村季吟の俳諧の書のこと。のちに主家の藤堂新七郎家にこの一冊が伝わっている。半残とは本名・山岸重左衛門棟常、伊賀蕉門で藤堂家に仕える武士だった。

　埋れ木には地中に埋まっている木というだけでなく、世間から忘れ去られたもの、という意味がある。直弼が彦根藩主の十四男という出自であって、その名前をつけさせたというのが通説だ。

　私はこうも思う。直弼は句も作り、同郷の季吟の『埋木』を知っていて、それになぞらえたのかもしれない。埋れ木には古くから伝えられる謂れが有るようだ。

　南彦根の平田町にある明照寺には芭蕉の笠塚もある。年始に訪ねてみようと思い、ゆうきさんに相談してみると「連絡しておけばよく見せてくれますよ」という。私は気楽に考えて今年は雪も少なそうだし、二月に入ったら行ってみようと思っていた。しかし二月に入ると世間は新型コロナウイルスでざわついてきた。

　この騒ぎは長引くかもしれないし、今のうちにどこか行けるところに行こうと思ったが、いざ出掛けてみると欲張って彦根を通り越し、もっと遠く木ノ本まで行ってしまった。

その後、あれよあれよという間に感染者は増え、私は家族の転勤で大阪へ引っ越し、他県となった彦根は少し遠くなってしまった。
芭蕉は臨終の際に大阪で有名な句を残している。

旅に病《やん》で夢は枯野をかけ廻《めぐ》る　芭蕉

今の私は健康だが、この時世かつてのようにかけめぐってどこかへ旅することは出来ない。新型コロナウイルスの世にあって、現代の人はこの芭蕉の句をより身近に思うのではないだろうか。

綿虫や道案内を買つて出て　真菜

石山寺

石山の石にたばしるあられ哉　　芭蕉

石山寺は瀬田の我が家から近く、たびたび訪れた。参道にある和菓子の美味しい店でお茶をすることもあった。

近江には、石山をはじめ、大石、石馬寺《いしばじ》など石にちなむ地名が多く、比叡山坂本の穴太《あのう》の石工も良く知られている。「石山寺」の名の由来となった硅灰石《けいかいせき》の天然記念物の岩は、石段を上ると本堂前に堂々と鎮座している。

ここは月の名所として知られ、毎年中秋の名月にあわせて秋月祭がある。近江八景の一つ「石山の秋月」だ。広い境内には、芭蕉庵と並んで月見亭があり、そこから眺める近江の景色は実に美しい。

月見亭は平安時代後期に、『平家物語』で有名な後白河上皇の行幸に際して作られたと記されている。

この石山寺に参籠した折に紫式部は『源氏物語』の着想を得たと伝えられる。平安時代の宮仕えの女房たちの間では、寺社に参詣し宿泊する「お籠り」が人気だったが、清少納言も『枕草子』に「寺は壺坂。（中略）石山」と挙げている。また、『蜻蛉日記《かげろうにっき》』の作者・藤原道綱の母はこの寺に参籠し夢のお告げを受け、『更級日記《さらしなにっき》』の菅原孝標女《たかすえのむすめ》もお参りした。

元禄三年に芭蕉が滞在した幻住庵もこの石山寺のある山の反対側に位置し、芭蕉は石山寺にもよく訪れたと伝えられる。その年の書簡には「名月散々《さんざん》草臥《くたびれ》」と書き記しており、持病のため名月の頃には幻住庵を出て、義仲寺で過ごしたことが分かる。

月見する坐に美しき顔もなし　芭蕉

この石山寺の向かいには瀬田川が流れ、瀬田城跡がある。琵琶湖を流れ出る唯一の川として、瀬田川は古代から要所だった。

大陸から来た古代の人々は船で瀬戸内海、大阪湾を経て淀川へ入り、宇治川を遡り、水位の高く荒い流れの瀬田川まで辿り着いたという。ちょうど瀬田川が「く」の字に曲がるところに大石という地名がある。

この先を高く登った岩山の上に立木観音があり、山沿いに石山寺へ抜けることが出来る。今では道は断崖すれすれ、眼下の川は急流となっていて、このルートで古代の人々はどう近江まで抜けたのか不思議だった。寺の駐車場にある「石山貝塚の碑」でその謎が解けた。

大昔の琵琶湖は今よりも水位が低く、貝塚があった場所は今は湖底に沈んでいた（粟津湖底遺跡）。つまり現代は急流として知られるところもかつては浅瀬だったのだ。

いにしえからの月の光を受け、今日も寺はここにある。

寺ごとに普請に励み露涼し　真菜

琵琶湖博物館

あられせば網代《あじろ》の氷魚《ひを》を煮て出さん　　芭蕉

琵琶湖博物館には幼稚園のPTAの付き添いで初めて訪ねた。園児らとともに網代や魞さし、竹瓮《たっぺ》、柴漬《ふしづけ》などの、似て非なる水沢の漁の仕方の展示を見、鮒鮓が近江の中の地域それぞれで違いがあることを知った。

琵琶湖・淀川水系の固有種である、イサザ、ホンモロコ、スゴモロコ、ニゴロブナ、ゲンゴロウブナ、ビワコオオナマズ、ワタカ……、そういった魚もよく分かった。歳時記にもある「紅葉鮒《もみじぶな》」や「氷魚《ひお》」やビワマスといわれる「江鮭《あめのうお》」、それらがどういう魚か、ここに来て初めて知ったのだ。

十六夜《いざよひ》や海老《えび》煎《い》る程《ほど》の宵《よひ》の闇　　芭蕉

この句をはじめ、芭蕉は堅田でたくさんの句を残した。この博物館のちょうど対岸だ。

かくれけり師走の海のかいつぶり　　芭蕉

この句は草津で詠まれたという。博物館のある烏丸《からすま》半島は草津市にあり、琵琶湖の堅田方面に突き出ていて、北はすぐ守山市と接している。

傍らにある道の駅「グリーンプラザからすま」に、琵琶湖産の真珠を売る店が出ている。俳句の仲間たちと真珠を買いに来たとき、元新聞記者の一人が店主に取材をした。

店主は湊さんといって、山崎宗鑑の出身地といわれる草津市志那に家があるという。阪神・淡路大震災で神戸の問屋が潰れたため、養殖から加工・販売もしている。

帰りのタクシーで志那に寄ってもらうと、志那の港には何人か寒釣りをする人が見えた。比叡山に沈む夕日が波間を輝かせ、鳰は一羽ほど、あとは黒々とした大鸊ばかりが浮いていた。

湊さんは、「池蝶貝のやつらは足が速くて、湖の底を動き回るんです。だから、あこや貝とは真珠筏《いかだ》が違うんです」と話していたが、素人目には、どれが鯏さしで、網代で、真珠筏なのか分からなかった。博物館で展示を見たときには「なるほど」と思ったのに。

難《な》波《に》津《は》や田《た》螺《にし》の蓋《ふた》も冬ごもり　　芭蕉

元禄六年、大阪へ進出しようとしている酒堂へ贈った句。俳号は濱田酒堂だが、濱田の「田」と酒堂の酒の「西」を合わせて、仲間内で「タニシ」とあだ名していたようだ。

今でも、琵琶湖の周りの用水路などで小さな田螺を見かける。

近江の国は秋も深まってくると、近畿でもいち早く寒く、寂しい景色となり、古来俳人たちの心をとらえてきた。

寒鮒や細江に光入りこみて　　真菜

彦根ふたたび

折《をり》〳〵に伊吹《いぶき》をみては冬ごもり　芭蕉

この句は近江ではなく、大垣の千川《せんせん》亭で詠まれた。美濃からは伊吹山は西に、近江側からは東に見える。

新型コロナウイルスの感染者が二桁に減った頃、思い切ってまた彦根へ出掛けた。

伊吹より西の龍潭寺《りようたんじ》は彦根藩主、井伊家の菩提寺で、関ヶ原の戦い以前、石田三成の居城だった佐和山城の麓にある。

寺には、芭蕉の弟子、森川許六の襖絵がある。唐獅子牡丹の描かれた「獅子の間」が有名だが、他にも「鶴の間」や竹林の七賢人が描かれた「七賢人の間」、馬や鴨、鴛鴦など絵の手本とする動物が描かれた「群馬群禽《ぐんきん》の間」など、東洋の絵画の王道をゆく題材の襖絵ばかりが設えられている。

書にはその人となりが出るという。曲がりなりにも大学で日本画専攻だった私は、絵もまた人柄がしのばれるものだと思う。

許六の絵はまっすぐ誠実。冒険はしないが、自らの持てる力を最大限に出し、対するものにとにかく丁寧に尽くす。天才ではないが与えられた仕事に努力は惜しまない。

そんな画風を見て取ることが出来た。

この時代の絵を学ぶ方法は模写が基本だ。許六はその方法に違わず、師匠の教えに従い、模写を基本として描いたのだ。俳句もまたそうであっただろう。

一方で、許六に絵を学んだ芭蕉は、むしろ模写だとか写生だとかの方法論からは自由だ。手元にある資料を見ると、芭蕉は模写以外に、写生をしたのかもしれないと想像出来る。

彦根の銘菓に「埋れ木」がある。琵琶湖に元来、埋れ木（褐炭）の銘木があるのかもしれないと調べたが見つけることは出来なかった。

この菓子の名前の由来となった、井伊直弼の育った「埋木舎」は「世に忘れ去られた存在」という意味で、自らを埋れ木と見立てたのだろう。俳諧の詞としても好まれた語だ。

芭蕉と同時期に活躍した井原西鶴《いはらさいかく》の「日本道にの巻」の俳諧独吟に〈埋れ木に取付貝《とりつくかい》の名を尋ね〉という一句があり、これが北村季吟が芭蕉に伝授した俳諧秘伝書『埋木』を茶化して詠んだようにも思える。この句の次に西鶴が付けたのが〈秘伝のけぶり籠《こむ》る妙薬〉という句であるし……。私の想像は膨らむ。

　考えつつ龍潭寺の山門を出ると、彦根の町の静かな通りに「山宗銘木店」という店があった。私の頭の中をのぞいている人がいるなら、なんという付きすぎと思うだろう。

　この道をまっすぐ行けば許六の墓がある寺に着く。

車窓より安土城見ゆ芋嵐　　真菜

瀬田川沿いを歩く

獺《かはうそ》の祭見て来よ瀬田のおく　　芭蕉

瀬田川は琵琶湖から流れ出る唯一の川。宇治へと流れる水量は本当に驚くほどだ。石山駅から、瀬田の唐橋方面へ向かうと右手に幻住庵のある国分山が見える。石山寺へと歩みを進めると、瀬田川クルーズの船が見え、向う岸は瀬田、その南東が田上山《たなかみやま》。

最近読んだ村上春樹の『猫を棄てる〜父親について語るとき』という一冊に、俳人の父親が描かれている。

再建される前らしい幻住庵で、子どもの頃の彼が句会に参加する話がある。彼が近江について書いた文章を見たことがなかったが、ここにこう書かれている。「まだ小学生の僕も何度かそういうところに連れて行かれたことがある。

一度ハイキングがてら、滋賀の石山寺《いしやまでら》の山内にある、芭蕉がしばらく滞在していたと言われる山中の古い庵を借りて、句会を催したことがあった」。調べてみると、この吟行の帰り道、父は子に「木曾義仲の最期」について話したという……。疎遠になってしまった父親について淡々と語りながら、俳句についてもまた避けて通ってきたような印象を読者に感じさせる。

彼の父親は村上千秋といって、波多野爽波らと同時期に「京大ホトトギス会」に在籍し、「京鹿子」で鈴鹿野風呂の弟子だった。十年ほど前に他界したことで、この筋金入りの俳人についてやっと書けるようになったのだと思う。父から教わった古典の中で、『雨月物語』や『平家物語』『方丈記』だけは好きだという。

私も子どもの頃、母親とその俳人仲間の木曾や中尊寺や秘境などの吟行に付いて行っていたので、この彼の、日本文学から遠ざかりたかった思いはよく分かる。だから、私が俳句を作り始めた頃の句は「俳句らしさ」を否定するようなものが多かった。

此《この》道《みち》や行《ゆく》人《ひと》なしに秋の暮　　芭蕉

歩みを進めるとその先は険しい渓谷となり、鹿跳橋《ししとびばし》の手前に立木観音がある。急な階段を上った先に、子育てにご利益があるという観音様が鎮座する。地図で見るとこの山奥に岩間寺があり、さらに西に喜撰山や『方丈記』の鴨長明が庵をむすんだ日野があるようだ。

芭蕉も、弟子の近藤如行《じよこう》へ「勢田《せた》の橋めの下に見へて、田上山《たなかみやま》・笠とりに通ふ柴人、わが山の梺《ふもと》をつたひ、岩間道《いはまみち》・牛の尾・長明が方丈の跡も程ちかく、愚老不才の身には驕過《おごりすぎ》たる地にて御坐候」と手紙を書いており、「幻住庵記」に『方丈記』が影響していたことが分かる。

ちなみに、芭蕉の父親は彼が幼いときに亡くなっている。臨終の際も、親代りといえる故郷の兄・松尾半左衛門に「御先《おさき》に立《たち》候段、残念可レ被二思召一《ざんねんにおぼしめさるべく》候」と手紙を残している。

よそ者の通らぬ道やつづれさせ　真菜

明照寺《めんしょうじ》と近江の街道

乞食の事いふて寝る夜の雪　李由

バスの運転手さんが、「少し戻ったところにある、あのクリーニング屋の所を左に曲がって、しばらく歩くとありますよ」と滋賀の人らしい実直な語り口で教えてくれた。

彦根の龍潭寺の帰りに急に思いつき、明照寺を訪ねた。キョロキョロしているると年配の女性が出てきてこちらへ近づいてくる。マスクはしているが、このコロナ禍のご時世に私のような若者が話しかけていいものか……、迷っていると親切にも「芭蕉の笠塚」と句碑の場所を教えてくださった。

明照寺には立派な本堂がある。裏手に池があり、その築山に句碑があるという。お礼をいって見させていただくことに。笠塚の脇に建つ句碑は白っぽく、文字は達筆すぎて、下五の「夜の雪」らしき文字しか判読出来なかった。今、スマートフォンで確認すると、なぜか読めた。「乞食の」の句とよく分かる。

河野李由は明照寺十四世住職で、もともとは芭蕉の弟子・江左尚白に俳諧を学び、元禄四年に落柿舎で芭蕉に会い入門した。同年の秋に江戸へ下向する際、芭蕉は明照寺に立ち寄っている。『近江の埋もれ人』を読むと李由は酒好きであったことが知られたという。道理で、食べることに関する句もたびたび見受けられる。

大儀《たいぎ》して鍋《なべ》蓋《ぶた》ひとつ冬ごもり　李由
鱈《たら》船《ぶね》や比《ひ》良《ら》より北は雪げしき

後の句の「鱈舟」の鱈は棒鱈だろう。鯖街道は御食国《みけつくに》の若狭から京へと鯖を運んだ街道だが、棒鱈などの他の多くの食材も運ばれた。冬場の鯖街道は雪深い。今でも琵琶湖沿いの湖西《こせい》線は風雪で止まることが多い。当時は湖東の北国街道脇往還を通るか、海津などの湖北の港から船で大津へ向かったのだろう。

以前住んでいた瀬田漁港近くに大津や京への年貢の荷を陸にあげたという貴船神社の御旅所《おたびしょ》があった。

この明照寺がある道は古く、南は近江八幡市街を通り、北村季吟の故郷である「北」（野洲郡北村）を抜け大津を経て京に至るので「京街道」とも呼ばれるが、地元の人は「朝鮮人街道」と呼ぶ。

それは日韓併合の時代より前、江戸時代の朝鮮通信使が通ったことに由来する名前で、差別的な意味とはほど遠い。徳川家康の上洛に使われた吉祥の道だった。街道筋には松が植えられ、対馬から瀬戸内海を経て、淀の津で上陸した通信使一行が江戸へと上る際に使われた。

昔の本だが滋賀県の彦根東高校の新聞部がこの道について調べた『「朝鮮人街道」をゆく』という一冊がある。当時の高校生が、実際歩いて調べたことに驚嘆する。私の愛読書だ。

街道をすぐに見渡せ春立ちぬ　　真菜

北国街道脇往還《ほっこくかいどうわきおうかん》

名月や北《ほく》国《こく》日《び》和《より》定《さだめ》なき　芭蕉

芭蕉の『おくのほそ道』の旅の終盤近く、敦賀《つるが》で詠まれた句。このあと近江を経て、大垣に到着した。

旅に同行した曾良《そら》は、途中山中温泉で別れ、先に近江に入っている。その『曾良旅日記』によると、曾良は北国街道を通り、鳥居本、多賀大社に寄り関ヶ原を経て美濃へ入った。

一方、芭蕉は「駒《こま》にたすけられて大垣の庄に入《いれ》ば」とあるが、長浜から彦根までは舟路であったようだ。また、陸路で街道筋を行き通常であれば木之本宿に宿を取るのだが、春照《すいじょう》付近に泊まったという説もある。春照は姉川から関ヶ原へ向かう、北国街道脇往還沿いにあり、伊吹おろしの雪の多いところ。

東京から新幹線ならば、岐阜から関ヶ原トンネルを抜けて右手に伊吹山が間近に見えるあたりだ。左手には伊吹艾《もぐさ》の「せんねん灸」の看板が出ている。

なぜ芭蕉が『おくのほそ道』に近江を書かなかったのかは分からない。他にも『おくのほそ道』には、芭蕉が実際に歩いたが書かなかった土地がある。紀行文だが、創作として思想にマッチした部分を編集しているのだろう。冒頭の「名月や」の句も、芭蕉が影響を受けた「荘子」の考えから見ると「定なき」なのは日和だけでなく、旅も人生も定めがないということなのかもしれない。

秋の色ぬか味噌つぼもなかりけり　　芭蕉

『おくのほそ道』の旅のあとの元禄四年の秋、芭蕉が近江の義仲寺に滞在した頃の句。芭蕉は、「ぬか味噌つぼ」という俗な、俳諧でも詠まれることのなかったものを選んだ。俗世間と離れているのを良しとし、世間が賞讃するもの、あるいはぬか味噌つぼまでも、何もなくて良い、としたのだ。

『荘子』にこんな一節がある。「毛嬙《もうしょう》や麗姫《りき》(美人の名)は、人はだれもが美人だと考えるが、魚はそれを見ると水底深くもぐりこみ、鳥はそれを見ると空高く飛び上り、鹿はそれを見ると跳《と》びあがって逃げ出す。この四類の中でどれが世界じゅうの本当の美を知っていることになるのか」（かっこ内は筆者註）。この「四類」は「人、魚、鳥、鹿」のこと。荘子の思想「万物斉同《ばんぶつせいどう》」は人間だけが独り選ばれた存在ではなく、人間も魚や鳥獣など万物のうちの一つにすぎない、ということが語られている。

私は『おくのほそ道』の冒頭の、

行《ゆく》　春《はる》　や　鳥　啼《なき》　魚《うを》　の　目　は　泪《なみだ》　　芭蕉

の句を思い浮かべながら、また雪を降らせそうな雲を見、伊吹山を仰いだ。

鎌　売　つ　て　荒　縄　売　つ　て　雪　す　こ　し　　真菜

近江の舟の道

鎖《ぢょう》あけて月さし入《いれ》よ浮《うき》み堂　　芭蕉

大津市歴史博物館で芭蕉伝統絵巻「芭蕉翁絵詞伝《ばしょうおうえことばでん》」を公開していると聞き、近畿の緊急事態宣言が解除されるのを待って見に行ってきた。

この「絵詞伝」は、義仲寺で売っている土産の絵はがきの元の絵だ。絵はがきにはない幻住庵を描いた部分が見たかった。幻住庵のある国分山を真ん中にして、右手に膳所城、左手に石山寺、唐橋や木曾義仲の家臣・今井兼平の墓が描いてある。

だが私が行ったときは、この箇所は写真での展示だった。

解説によると、芭蕉の歩いた時代の唐橋から石山寺へ行く参道は崖沿いの細い道だった。婦女子は山門のすぐそばの船だまりまで、舟路で参詣したそうだ。

今でも石山寺まで瀬田川クルーズの遊覧船が出ている。冬場の比良八荒の波が高い季節以外は、近江では舟路は多く使われた。

芭蕉も、堅田への月見をはじめ、よく舟を使ったようだ。『おくのほそ道』の帰路も琵琶湖を舟で渡ったという説がある。

元禄三年の膳所の弟子、茶屋与次兵衛（昌房）への書簡には、「昨夜堅田より到二帰帆《きはんいたし》一候」と舟を使って堅田から戻ったとある。続けて「拙者散々《さんざん》風引《ひき》候而《さうらひて》、蜑《あま》のとま屋に旅寝を侘《わび》て、風流さまぐ〜の事共《どもに》御座候」と、

病《びやう》雁《がん》の夜《よ》寒《さむ》に落《おち》て旅寝哉《かな》　芭蕉

の有名な句が出来た経緯を語る。旅先での自分の病を、「近江八景」の「堅田の落雁」を踏まえて詠んでいる。

琵琶湖には、今も観光船以外の船路があり、沖島へ向かう定期船、小学五年生を対象とした学習船「うみのこ」などもある。湖魚や蜆を採る漁港や、水運で栄えたという数々の廃港や、若い人で賑わうマリーナなど、船がとても身近だ。

歴史博物館がある大津西岸の高台からも、行き交う船がよく見える。あれは

大きいから「ビアンカ」号か、いや新しくなった「うみのこ」かもしれない……などと眺めて一句詠むのも良い。

堅田の浮御堂へ、月見の舟遊びをした芭蕉と弟子たちも、大津の松本あたりから船出をし、ちょうどこの高台から見えるところを航行したに違いない。芭蕉百回忌に作られたこの「絵詞伝」では、浮御堂で月見をする芭蕉たちの傍らに、乗ってきた舟が架け橋に繋ぎ留めてある。

眺めると湖東の山々の景色は今もさほど変わらず、絵巻のように広がっている。

夏来たる舟橋貸舟釣具店　　真菜

膳所藩士と荘子

君やてふ我《われ》や荘《さう》子《じ》が夢心　　芭蕉

芭蕉と膳所の弟子・菅沼曲翠、またその実弟である高橋怒誰との手紙のやりとりはとても多く残っている。

元禄三年、芭蕉が幻住庵に入った際に、怒誰は江戸に勤番中だった兄に代わり、庵の管理や芭蕉の世話をしていた。その際に、愛読書『荘子』を通じて芭蕉と意気投合した。その後も書簡を介して、あるいは江戸勤番となった怒誰が芭蕉庵を訪問するなどして交流は続いた。

近江の、取り分け膳所の弟子たちは曲翠の江戸勤番や、濱田洒堂の俳諧修行など、芭蕉が近江を去ってからも交流が盛んだった。

また芭蕉から怒誰への書簡には、芭蕉のパトロンでもあった兄・曲翠宛ての丁寧な文章とは違う、同じ愛読書を持つ者同士の親しさが感じられる。

「御目まひ度々《たび》に及《およ》び中候由、気之毒《きのどくに》奉レ存候。陽性上《のぼ》る時候故《じこうゆえ》と存候間、養生主要用《えうように》奉レ存候」と春になると目眩のする持病をもつ怒誰に、『荘子』の「養《よう》生主《せいしゅ》」の篇名と「養生してください」の意味をかけて弟子を気遣っている。

　芭蕉の句や俳文には『荘子』の影響が多く見受けられる。それは膳所の弟子たちにも受け継がれた。

　洒堂が編者となった『ひさご』は『荘子』にある瓢《ひさご》の一節からとった題であるし、「幻住庵記」第二稿本には「おしまづき・硯ひとつ・南花《なんげ》真経一部ヲ置《おく》。木曾《きそ》の檜笠《ひがさ》、越《こし》の菅蓑《すがみの》は外面《とのも》の柱にかけたり」とある。「南華真経」は『荘子』の別名だ。

　膳所城址は今は公園になっていて、現代も「城有、橋有、釣たるゝ舟有」と芭蕉が書いたような景色を眺められる。かつては湖上を行く舟から、四層の高楼の城がそびえているのが見えたという。私の手元には、幕末の膳所城下を描いた古地図の写しがあるが、これを見つつ旧東海道沿いを歩くと、江戸時代とはほんのちょっと前だったのだと実感する。

　掲句は、「胡蝶の夢」の一節になぞらえ「君が蝶か、いや私が荘子か」と師弟が和して一心同体になっていると詠んだもの。怒誰は膳所藩士たちに『荘子』を講義し、芭蕉もそれを励ましていたが、芭蕉臨終の頃、病気がちだった彼も亡くなったのではないかといわれている。

夏籠といふには早く「荘子」読む　　真菜

多賀大社

みちばたに多賀《たが》の鳥井《居》の寒さ哉　尚白

江左尚白は大津の医師。近江の芭蕉門人の中でも早い時期の貞享二年、『野ざらし紀行』の旅の途中に大津を訪れた芭蕉に入門している。

多賀は多賀大社を指す。門前にこの句の句碑があったのだが、以前、初詣で訪れた際に琵琶湖側からではなく、山側の駐車場から詣でたからか見つけることが出来なかった。

多賀大社は、杓文字《しやもじ》と糸切餅で有名だ。神社で杓文字を配るようになったのは、ここが初めといわれる。木地師たちが「お多賀さん」へ自分たちの作った杓文字を奉納したともいわれ、木地師の祖の伝説が残る百済寺の奥の谷からこの神社に抜ける杣の道があるという。

一方、糸切餅は大福ではなく、漉し餡を薄い餅で筒状に巻き、糸で一口ずつに切ったもの。白い餅に赤と青の縞模様で蒙古軍の旗を表しているともいう。なんとも古式ゆかしい。私が買った店は蒙古船の図が描かれた包み紙だった。

湖東の多賀大社には鎌倉時代、蒙古襲来（元寇）のときに必勝を祈願すると、神風が吹いたという伝説がある。ご神体はイザナギ、イザナミだが、もともとは琵琶湖の水運をつかさどる神を祀ったのかもしれない。

元禄七年に芭蕉が弟子に送った書簡には「醒井餅《さめがいもち》」という近江のかき餅の名が見えるが、近江はもち米が有名で、今でも滋賀羽二重糯という品種のもち米が京都の和菓子店でよく使われている。

晦日《つごもり》も過《すぎ》行《ゆく》うばがい（ゐ）のこかな　　尚白

これは、近江の草津宿の名物「姥《うば》が餅」が自分にとっての今年の亥の子餅になったという句。

尚白は、河合乙州や濱田洒堂ら多くの弟子を芭蕉に紹介したのだが、後には、彼ら新しい門人と芭蕉が目指した「かるみ」についてゆけず、袂を分かつことになる。芭蕉が元禄六年に森川許六に宛てた書簡には「尚白ごときのにやくやもの（煮えきらぬ者）に而《て》は無㆓御座《ござなく》㆒候」（かっこ内は筆者註）とあり、師と弟子は違う道を辿ることとなる。

あながちに鵜《う》とせりあはぬかもめ哉　尚白

大津から東海道を通り京へ行く途中、逢坂山の手前、札の辻に本長寺がある。ここに尚白の墓が残っている。広い境内の大きな桜の木の、その奥にある古い墓だ。

蒙古襲来絵巻に包み餅の春　真菜

兵主大社《ひょうずたいしゃ》

稲《いね》こきの姥《うば》もめでたし菊の花　　芭蕉

奈良時代に創建された野洲の兵主大社。紅葉で有名な平安時代の庭園が残る。芭蕉の師匠の北村季吟の生地に近い。この辺りは『平家物語』で有名な祇王の出身地といわれ、祇王が平清盛に頼んで引かせたという用水路、祇王井川が流れる。今も扇状地には水田が広がる。

兵主大社の前に「条里《じようり》の郷《さと》」という看板がある。その名残で、現代でも区画がはっきりとしていて、そのきっちりとした地図に住民はフルネームで示されている。

掲句の詞書は「北村何某《なにがし》のもとへ道びかれけるに」とあり、下の名をぼやかしている。北村姓の多い土地で、当時なら人物を特定出来ただろう。今も辻々に「北村某」の選挙のポスターが張り出されていた。大社は北村（現在の野洲市北）の三区画ほど西で、庭園や祭りの流鏑馬でも知られている。

季吟は医家の出で、のちに京都で神職に就いている。ここは大社以外も寺社が多く、上代から猿楽・今様など芸能の奉納「勧進興行」が行われていた。その流れで江戸時代も連歌、連句が盛んに行われ、それが季吟の個性を形作ったのだろう。

石山寺が近く、紫式部が越前守だった父とともに近江を往来した折に詠んだ歌もある。こうした縁が季吟の『源氏物語湖月抄』に繋がっているのだろう。

季吟の長男、北村湖春と芭蕉は、貞享二年に京都、鳴滝の三井秋風《みついしゅうふう》の山荘で句座をともにしている。秋風は三井家の出身で季吟の門人だ。

梅白し昨日や鶴を盗《ぬすま》れし
　杉菜《すぎな》に身する牛二ツ馬一ツ　　亭主　秋風
我《わが》桜鮎《あゆ》サク枇杷《びは》の広葉《ひろは》哉
　筧《かけひ》にうごく山藤の花　　桃青（芭蕉）
日の霞夜銅《ヨルあかがね》の気をしりて　　湖春

又、山家

樫《かし》の木の花にかまはぬ姿哉《すがたかな》　桃青

家する土をはこぶつばくら　秋風

湖春と季吟は、当時京都にいたらしく、上方をめぐった芭蕉の弟子の榎本其角とも交流している。芭蕉は其角宛ての書簡で、「万葉集出来《しゆつたい》候哉《や》。急便《きふびんに》承度候。五条之老翁、御機嫌いぶかしく奉レ存而已《ぞんじたてまつるのみ》」と書いており、季吟（五条之老翁）の『万葉拾穂抄』の出版を待ち望んでいたことが窺える。

この後、元禄二年に季吟父子は、幕府歌学方として江戸へ上る。芭蕉は、たびたび中山道を通り江戸と上方を往来したが、元禄七年の最後の旅は東海道を通り、再び彦根や野洲に立ち寄ることはなかった。

飴煮屋に稚鮎の包み一つきり　真菜

逢坂山《おうさかやま》、関蟬丸《せきせみまる》神社

山路来て何やらゆかしすみれ草　　芭蕉

逢坂越えは京津《けいしん》街道の難所だった。徒歩で関を越える道とは別に牛車《うしぐるま》のための道が通っており、「車石《くるまいし》」という石が敷き詰められていたという。江戸時代、年貢米は各地から大津に集積され、米商人たちが買い取り京阪神に広く売られた。今、私の住む大阪の淀川べりは船着き場跡が多く残るが、現代でもそこには米屋と近江にルーツを持つ苗字が集まり、近江商人の痕跡がある。

この逢坂山を、芭蕉も何度も越えた。大阪で息を引き取ったのちも、淀川を京都・伏見までは舟で、そのあとは陸路で関を越え、義仲寺へと亡骸は運ばれた。

大津駅の改札を出ると、少し湿った風が吹いていた。やはり雨になるらしい。

再度の緊急事態宣言が解除になり、久しぶりに義仲寺で句会をすることになった。その前に寄りたいところがあった。駅から徒歩で十分ほど。蟬丸神社の下社である関蟬丸神社は「音曲芸道祖神」と石碑が立つが、近江猿楽でも、お能でもよく知られるこの神社では「芸能祭」を毎年行っている。だが今年は延期だった。

溝《みぞ》浚ふところを登り蟬丸社　爽波
座ぶとんにこれも逢坂山の蟻

波多野爽波のこれらの句に詠まれているのは蟬丸神社の上社だろう。下社、上社と登ってゆき、吟行をしたら京都方面に下ってきて、有名な「かねよ」で鰻を食べて句会をしたのかもしれない。街道筋をゆくと名所・走井《はしりい》もあり、「走井餅」を土産にするのも良い。

私が行った駅から近い下社は山を登らず、東海道から鳥居がすぐ見えて、常夜灯があり、参道に京阪電車の踏切がある。踏切と鳥居を続けてくぐり、境内に入ると右手に関の清水、正面に拝殿がある。

西日本豪雨か同じ年の台風禍の被害だろうか、本殿はブルーシートがかかっている部分もある。急に蟬の声が途切れて、少し寂れたところに、どこからかシテが現れそうな雰囲気がある。

参拝を終えると小雨がちらついてきた。近江はしぐれることが多く、住む人は折り畳み傘を携帯している人が多い。かくいう私も持参してきた折り畳み傘を広げた。

帰りは大津駅へと下ってゆくが、京阪電車に沿って、小野小町の伝説にちなんでか銭湯「小町湯」がある。これはお能の演目「関寺小町」を思うと出来すぎか。江左尚白の墓所、本長寺も通りを入ってすぐだが、また今度。駅で走井餅と小鮎の飴煮を買って句会場の義仲寺へと向かった。

関寺に「小町湯」ありて半夏生　　真菜

智月《ちげつ》への手紙と大津みやげ

明月や座にうつくしき顔もなし　　芭蕉

元禄七年八月十四日、大津の河合智月からの見舞いに、芭蕉が返した礼状には「ことにはなんばん酒《ざけ》一樽、ふ二十おくりくだされ、忝《かたじけなく》ぞんじまいらせそろ」とあり、文末には「尚々《なほなほ》くわし一さほ、これ又忝《かたじけなく》ぞんじまいらせそろ。打《うち》寄《より》たべ可レ申候」とある。智月が南蛮酒（国産の酒）とともに麩や菓子《かし》一棹《さお》といった大津土産を、中秋の名月にあわせて届けてくれたのだ。

近江の麩は板状で、すき焼きや煮物にも入れる。菓子は、もち米や蓬など県内で良質のものがとれるから名物が多い。とくに有名な「叶匠壽庵《かのうしょうじゅあん》」や「たねや」といった大手から、「鶴里堂《かくりどう》」「藤屋内匠《ふじやたくみ》」等々、美味しい店が数えきれない。四年前の「暮しの手帖」に、貞享三年には黄身餡の棹菓子があったと出ているから、芭蕉の時代にはすでに現代とほぼ同じような和菓子を食べていたのかもしれない。

智月への書簡には、ひらがなのやさしい言葉遣いで、男性の弟子には話さないような病の悩みや、暑さの愚痴などもあり、まるで親子か姉妹宛ての手紙のようで、実にほほえましい。智月もたびたび芭蕉へ茶や薬、酒や衣類など届けていたようだ。

大津駅から、琵琶湖を見つつ大通りを下り、東海道へと道を折れる。この界隈は眺めも良く情緒のある古い町並みなのに、コロナ禍以前から人通りは少ない。毎年、大津祭のときだけ賑わいを見せる。句帳を手に静かにそぞろ歩くのにもってこいだ。

此《この》道《みち》や行《ゆく》人《ひと》なしに秋の暮　　芭蕉

現在、道の左手には和菓子や洋菓子の美味しい店がある。右手、膳所方面には以前書いた中川誠盛堂茶舗があり、さらにゆくと神保真珠商店がある。洒落た店内には琵琶湖パールが多く、輸出されていた時代のヴィンテージパールや、池蝶貝の貝ボタンなどもあり、とっておきの旅の土産が買える。

琵琶湖では古くから真珠が採れ、かの柿本人麻呂の真珠の歌も残り、歌人の塚本邦雄も歌を書き記している。

しかし、芭蕉は真珠の句を残さなかった。

〈明月や座にうつくしき顔もなし〉と詠んだ彼の「荘子」的な思想には、真珠のような、誰もが美しいと思う宝は必要無く、誰も美しいとは思わないものに価値を見出したかったのかもしれない。

篁《たかむしろ》名残や熱き茶をいれて　真菜

大吉寺《だいきちじ》

其《その》まゝよ月もたのまじ伊吹山《いぶきやま》　芭蕉

新幹線で関ヶ原のトンネルを抜けると近江だ。美濃から近江へはあっという間だ。

近江からも美濃からも、伊吹山は存在感がある。この北に小谷城《おだに》があった。以前、この近くにある戦国時代に焼き討ちされた大吉寺という寺を訪れたことがある。

『おくのほそ道』では、芭蕉は曾良と別れたあと斎部路通《いんべろつう》と合流し、敦賀での月見の記述のあとは大垣まで一気に話がとんでいる。

私は勝手に想像するのだが、近江に滞在した芭蕉が『おくのほそ道』を纏めていた頃、路通が高価な茶入れを盗んだのではないかという疑惑の事件があり、

江戸時代から続く大吉寺の虫供養

芭蕉や門人たちの怒りを被ったことで、彼のエピソードが省略されたのではないだろうか。

　でなければ「駒にたすけられて大垣の庄に入《いれ》ば」だけで、近江を書かないという意味が分からない。いろいろ想像させられる。

　さて、私が大吉寺を訪れたのは、学生時代からの友人一家が滋賀に来るというからだ。

　聞けば、友人の夫一家の祖は大吉寺に縁ある武士で、家宝には豊臣秀吉にいただいた槍もある。

　大坂夏の陣の際は、父と兄が徳川方についたが、弟は豊臣方として敗れ、大吉寺に逃げ込み、のち美濃へと落ち延びた、という。大吉寺は豊臣と繋がりがあったようだ。

友人の舅たちは、毎年、法事代わりにこの寺の「虫送り」という行事に参加し、友人もそれを初めて見に来るというのだ。

長浜駅から、草野川方面にゆく小さいバスに乗る。信長、秀吉の時代に賑わった国友《くにとも》の鉄砲鍛冶の町も今は静かだ。町並みを抜けると小谷《おだに》山や伊吹山が遠く見える田畑が続く。

途中、急に広々として冷え込んできた。と、そこが姉川で、いつの間にか乗客は私一人となっていた。

寺のある天吉寺山の麓で下車し、友人たちと合流すると虫送りの行列がやってきた。それはお祭りというより、誰か土地の名士の法事のようだった。

唯一焼け残ったお堂に着くと、源頼朝坐像や、秘仏が所狭しと並んでいる。法要には、対岸の比叡山から高僧が三人もやってきていた。友人の姑によると、この山の反対側を登ると、草木が生い茂る中、戦国時代の塔頭の石組みがそのままに残っていたという。

近江を歩くと、芭蕉の時代のままのような町並みや寺社に会うが、ここはそれ以前の安土桃山やもっと前の、近江に落ち延びた木曾義仲や源義朝《よしとも》さえもが、つい最近のことではないかという気がしてくる。
きっと芭蕉もそう思ったのだろう。

義《よし》朝《とも》の心に似たり秋の風　芭蕉

帰りに、お灸に凝っている友人からお土産にぜひ、といわれていた伊吹艾の「せんねん灸」に寄ったが、日曜は休みだった。

にぎはひの末席にをり翁の忌　真菜

俳人と商人

旅に病《やん》で夢は枯野をかけ廻《めぐ》る　芭蕉

今住んでいる大阪から近江に入るにはトンネルを二つ抜ける。関西に住んでいる人でも、大津を遠く感じるのは、このトンネルの存在が大いに関係していると思う。

近江という国は日本で一番大きな湖を抱えるため、四方を大きな山で囲まれている。

かつては不破の関、鈴鹿の関、逢坂の関の三つの関のいずれかを通らないとこの国に入ることは出来なかった。現代では、大阪から京都を経て大津まで新快速で四十分ほどだ。

昨年、大阪に引っ越した私の住む淀川べりは、なぜだか米屋が多い。そして北村姓が多いのだが、これは近江の北村なのではと密かに考えている。

芭蕉の師、北村季吟の出身地である近江の「北村」。この近くに「錦織《にしこおり》」という所があり、全国の錦織姓の発祥の地といわれる。テニスプレイヤーの錦織圭は島根出身だが、近江商人であった錦織氏の一族が回船業だったと仮定すれば、北前船の寄港地にその姓がいても不思議はないと、私は勝手に想像する。

近江の北村氏は船で野洲から大津へ向かい、「東海道五十三次」の大津の絵にある通り、逢坂の関を牛車（荷車）で越え、京の淀の津からはまた船で、天下の台所・大阪へと各地の米を運び入れたのだろう。だから淀川の港の近くには米屋が多かったのではないだろうか。

百年前には大阪と大津を結ぶ大津鉄道が通っていたと古い地図には書かれている。船、荷車、鉄道と近江商人の使う乗り物は変わってゆき、人もまた移動していったのだ。

さて、芭蕉終焉の地、御堂筋も大阪だ。

緊急事態宣言が解除されてから、一人で歩いてみた。終焉の地の石碑は御堂筋のど真ん中、中央分離帯にあり、歩道はビジネスマンたちが行き交う。

芭蕉終焉の地の石碑
(「此附近芭蕉翁終焉ノ地ト傳」とある)

此《この》道《みち》や行《ゆく》人《ひと》なしに秋の暮　芭蕉

人混みを引き返そうとすると、すぐそばに「滋賀銀行」があるではないか。そして「江綿《ごうめん》」という会社もある。大阪発祥の会社ではあるが、「近江木綿」を扱っていたのかもしれない。繊維業の会社や商社も建ち並び、近江商人は古くは麻や木綿といった太物を商っていたことや、「ふとんの西川」も元々は近江商人だということを思い出した。
芭蕉が最晩年にここ大阪へやって来たのは、弟子同士の争いを仲裁しに来ただけではなく、パトロンや近江の他の弟子との縁があったことに間違いないだろう。

一艘に一人づつなり秋の影　　真菜

現代俳句時評

「無名の存在の肯定」と成田一子の俳句

波多野爽波没後三十年

自粛生活が長引いている。本を買うのも書店に行かず、アマゾンなどネットを通じて注文することが多くなった。私の読書といえば古い本ばかりだ。中でもよく読むのは波多野爽波の句集だ。近年は、ネット上で高値で取り引きされている。入手困難になった原因は古書バブルというだけではない。爽波没後三十年を経て、彼の育てた若者たちが今の俳壇での評価を得ているために、逆に彼自身の俳句を読みたいという人が増えたのだ。それ故に爽波の俳句の評価が高まったのだろう。

ところで今、開いているのは昭和六十二年の「童子」十一月号だ。これは俳句の結社誌なのでアマゾンには出品されていない。この年の九月に創刊された「童子」のこの号は波多野爽波の特集号だ。爽波は平成三年に他界するから、まだ存命中の特集である。

ページをめくると、当時四十代だった辻桃子主宰と、そこに集う若さ溢れる作品が載る「童子集」という会員欄があり、桃子の「下手みたいな句」と題された選後批評があり、今井聖氏の「童子俳句（創刊号）を読む」という記事もある。続く特集ページの中に、当時「青」にいた岸本尚毅氏が一文を寄せる。彼の師である波多野爽波の

裂かれたる穴子のみんな目が澄んで　爽波『一筆』

の句を引いて「無名の存在の肯定」といっている文章だ。少し引く。

「（略）たしかに現俳壇にあって爽波ほど俳句神経の俊敏な作家はいないと思われる。しかし、もっと大事な点は思想である。爽波という作家は、芸としての俳句を極めた反面、人間的な思想に乏しいのではないかという誤解を持たれる可能性がある」

岸本氏はフォローするが、当時の俳壇で爽波は浮いた存在だったようだ。俳句のことでは手厳しく相手を批判し、「俳句スポーツ説」を唱え、本を読

んで頭で句を作ることよりもフィールドワーク的に多作多捨を勧める彼を、俳句作品ではない部分で評価をしない人が多かったのだろう。岸本氏はこう続ける。

しかしながら、そもそも俳句形式自体に思想が内在しているのである。その思想は、たとえば花鳥諷詠論に見られるところの〈無名の存在の肯定〉ではないかと思われる。五七五という形式、季題の体系それ自体が無名の存在を認識し、肯定するように出来上がっているのである。

爽波俳句の思想性は一見極めて稀薄である。しかし俳句形式に忠実なるがゆえに〈無名の存在の肯定〉という思想を最も濃厚に体現しているのである。無名の存在と言っても決して可憐な野の花ばかりではなく、中には鋭く人間に切り込んで来るものもある。無名の自然を前にして人間は自分自身の無名性に直面するのである。

爽波俳句を虚心に読むならば、我々は無名の自然に取巻かれ、我々自身が究極的には無名の生命であることを感じるのである。

爽波の句は難解だ。私も若い頃は、読むたびに違う印象を持ち、解釈に迷うことも多々あった。特にそういう句は初期の句集に多いのだが。

例えば、

砂日傘あらぬ方より彼がくる　爽波『鋪道の花』
初鏡閨累累と横たはり　爽波『〃』
蟹歩き亡き人宛にまだ来る文　爽波『湯呑』
はじめより水澄んでゐし葬りかな　爽波『〃』

作者の存在はあるようでない。季語と、季語以外の部分が持つ世界が乖離しているかのように思われるぐらい、距離がある。

とりわけ激しくその距離を感じるのは有名なこの三句。

掛稲のすぐそこにある湯呑かな　爽波『湯呑』
末枯をきて寿司だねの光りもの　爽波『〃』
炬燵出て歩いてゆけば嵐山　爽波『骰子』

「掛稲」のすぐそこにあるとは、屋外にある湯呑なのか、それとも窓に見えているのか。二句目は、「末枯をきて」手も洗わずまっすぐに「光りもの」を注文しないだろう。終いの句は、「炬燵」と「嵐山」の距離感がまるで回り舞台のようではないか、と突っ込みが入る。

この時期の爽波の句は、極端なまでに読者の一般的な読みを避けている。日常の何気ない季語や語句、先の岸本氏の文章でいうところの「無名の自然」を、非日常へと乖離させているかのようだ。

それは日常の中の季語を「無名の存在」から、名のあるものとしたかったわけではあるまい。むしろもっと違う、今までには存在しなかったものにしたかったのかもしれない。今の私はこの時期の爽波俳句をそんな風に読んでみる。

しかし最後の句集『一筆』には、こういう句もある。

菊にくる虻と蠅とを識別す　爽波『一筆』
瓜冷しあること思ふ二階かな　爽波『〃』
立つてゐることに疲れて末枯るる　爽波『〃』

一般の俳人の目のつけないようなところを見、いわないところをいってきた彼の句は、晩年になるにしたがってより強烈に「無名の存在」を追い求めていったのだと思う。

その俳句の世界を非日常と思わせるような、今までには存在しなかったものを立ち現せるような俳句ではなく、句集『一筆』においては、無名の存在のそのままにあるがままを肯定する俳句となったのだ。

女性と「無名性」

社会的な肯定度合では、まだまだ女性もまた「無名の存在」といっていいだろう。男性もまた本当はそうなのだが、女性は頻繁に自らの無名性と向き合っている。

コロナ禍で外出がままならず、他者と会うことが難しくなった三年ほど、「無名の存在の肯定」ということと、「女性の存在」ということを繰り返し考えていた。

ニュースで報道されるアフガニスタンの女性たちも、日本の私たち女性と等しいと感じた。日本にタリバンはいないが、現代にマッチしない女性像を求める人は今となっても多そうだ。

最近この「無名の存在の肯定」を改めて感じさせる句集を読んだ。成田一子の第一句集、『トマトの花』（朔出版）だ。

春愁と首から下げて立つてゐる　一子『トマトの花』
日本や炊き立て飯に寒卵　一子『〃』
大いなる鏡の部屋の寝冷かな　一子『〃』
夜濯にまはる黒地に赤の文字　一子『〃』
つかの間の梅見やスイスチョコレート　一子『〃』

気持ちのいい赤色のカバーが印象的なこの一冊は、ぱりっといい切った句が多く、近代まで世間から求められていた、「女性らしい」表現とは違う。

盛塩を崩してゆけりサンドレス　一子『トマトの花』

男性が近代のままでいる中、女性はすでに現代となっている、と感じさせるかっこいい句集だ。
音楽にのめりこみ、俳句一家に育ちながらも「俳句は怖い、やってはいけない、ずっとそう思っていた」と句作を拒否してきた一子。

だが少しずつ俳句の魅力に気づき、父の没後にその後を継ぎ、「滝」主宰となって五年。

父、菅原鬨也の友人だった辻桃子が栞にこう書く。

一子さんは二〇一〇年に『第三回芝不器男俳句新人賞　大石悦子奨励賞』を受けている。その作品を読んで強烈な印象を受けたことは今でも忘れられない。この子は只者じゃないわ、とその時私は感じた。

あとがきで一子は

通夜の日の朝、私は結社を継ぐことを決めた。「生きてるうちに継ぐってお父さんに言ったのか」と通夜ぶるまいの席で叔父に聞かれた。「言ってない」と答えると「そういう時は嘘でも継ぎますって言うもんだ」と叔父は笑った。

火葬の際、棺には父が手掛けた「滝」の最新号を入れた。火葬が済んだ父の遺骨の大半はなぜか桃色に染まっていた。私は「滝」の表紙に使われていた赤色のインキが父の骨を染めたのだと思った。おそらく俳句が、父の骨を桃色に染めたのだ。

と書く。

その箇所に私は倉田百三の『出家とその弟子』を思い出した。小説の終盤、親鸞の臨終で、父子の長年の確執と仏の赦しを息子に説く親鸞に、その息子の善鸞は「わかりません……きめられません」と答える。親鸞は「それでよいのじゃ」とすべてを肯定して死ぬ。

一頁切り取られたる寒さかな　一子『トマトの花』

遺句集とオマージュ

天使と悪魔

有元利夫のカバー絵にハッとさせられる小島明の『天使』（ふらんす堂、二〇二一年一一月）。この句集は彼の第一句集にして遺句集だ。

銀紙のやうな二月の海見えて　明『天使』
たかぞらは無季のごとしや鳥帰る　明『〃』
花冷えのみどりを灯す非常口　明『〃』
この人とゆくべき冬の泉かな　明『〃』

一読して、彼が好きだった俳人は誰だかいい当てられそうだと思った。次の句は、敬愛していたという田中裕明の句を思い出させる。

みづうみの南の港さみだるる　　明『天使』

そう、よく知られた次の句へのオマージュだろう。

みづうみの東に苗を余しけり　　裕明『先生から手紙』
みづうみのみなとのなつのみじかけれ　　裕明『夜の客人』

そういった句の中に、彼らしさがにじみ出るようなものもある。

ポケットの多き服なり青き踏む　　明『天使』
おとなしく麦茶二杯で帰りしが　　明『〃』
祖母ゐると思ふ障子を開きけり　　明『〃』

有元利夫は、一九八〇年代に彗星の如く現れ、三十八歳で亡くなった画家。七〇年代半ば生まれの私の年齢より上の世代なら、彼の作品の剝落したフレスコ画のような空のタッチを懐かしく思い出すと思う。かつて、銀座に彌生画廊という画廊があった。そこには有元の作品が常設されていたから、日本画専攻だった私もバイトの折によく見に寄ったものだ。今は千代田区に移転して小川美術館が出来、そこに作品たちは並んでいるはずだ。八〇年代に青春を過ごした者、美術を志した者には、今なお心を打つ圧倒的な才能の持ち主だ。彼の没後に出版された日記に『もうひとつの空』がある。その本に「存在の不思議女性像十選」と題するエッセイがあり、イタリア、アレッツオのサンフランチェスコ聖堂のフレスコ画について、アダムの死を描く場面を「私には涅槃の図にさえ見えた」と記している。

聖フランチェスコの小鳥来たりけり　　明『天使』

小島明、彼の生まれた東近江は、二年前まで私が住んでいた大津からも近く、よく車で通った。近江富士とも呼ばれる三上山が近づくと、秋には広い空に渡り鳥が「雁金点（✓）」の形に連なるのがよく見えた。

句集のタイトルの『天使』。有元の絵にもよく描かれる題材だ。だが膵臓を患った小島には、天使の顔をした悪魔だったかもしれない。いや、天使も悪魔もさして変わらないのかもしれない。

鷹渡る薄墨色の風の道　　明『天使』

私の学生時代の友人も膵臓がんであっという間に亡くなった。同じ頃、別の知人も相次いで膵臓がんで亡くなった。亡くなった人には共通する性格があった。それは「こだわり屋の寂しがり屋」だと私は勝手に思う。寂しがり屋で、一人で帰るのが厭で、飲み会ではいつも最後まで付き合うような。そんな人には早く帰るようにいい、お酒やタバコや肉は控えて早く寝ると良いと、今の私ならいうだろう。

波多野爽波は六十八歳、弟子である田中裕明は四十五歳、この小島明は五十六歳で亡くなった。爽波は六十歳を過ぎていたが、今の日本人の平均寿命、あるいは俳句人口の平均年齢を考えると、やはり若かったと思う。

冬ざるる二幕一場みじかけれ　　裕明『先生から手紙』

彼らは貪欲に、いや生きること、息を吐くことと吸うことと同じように俳句を作った。さまざまなものを人から吸収しようとした。その対象は、俳句の神だった、それとも悪魔だっただろうか。彼らは俳句の才能と引き換えに、神との契約をしたのかもしれない。

淀川沿いの孤独

私の住んでいる大阪市の淀川沿いは、昨年末に大規模な放火事件があった。その日は我が家の近くも消防車のサイレンが鳴りやまず、見ないようにしてもニュースはその事件の話ばかりだった。放火をした容疑者は、家からそう遠くないところに住んでいた。

もう死んでしまった容疑者に、なぜ事件を起こしたのかを聞くことは出来ない。だがその人物が大きな孤独を抱えていたことだけは確かだ。

今、世界が不安と孤独に覆われる中、自分もまた小さく孤独で無名だと思い知らされる。俳句をやっていても何も出来ることはないのだと。

文芸の小なるを思ふ年の宿　　裕明『先生から手紙』

しかしながら、俳句を作るということ、誰かの句を読むということ、それは誰か自分以外の他者に興味を持つということだ。

大阪の真ん中を流れる淀川は琵琶湖に端を発する。その縁には孤独な人も住んでいた。「人は皆孤独である」といっても、俳句があったか、無かったか、そこは違うということだ。他者の作品を見出せる孤独とは大きな川で隔たっているのである。

有元利夫は「僕には歌があるはずだ」と書く。私には俳句があるはず、と自分にいい聞かせる。それは何の役には立たなくても、私のそばにただあってくれ、慰めとなってくれ、そしてまたときには誰か、それは遠くにいる誰かや、もう会うことはかなわない誰か、と私の孤独を繋いでもくれる。そう自分にいい聞かせつつ、コツコツと俳句を紡いでいきたい。

俳句の上では、今生きている私たちだけでなく、すでに去った俳人たちも生き続けていて、私たちと繋がることが出来る。

走る人みるみる遠し麦の秋　　裕明『先生から手紙』

かつて、田中裕明が主宰していた「ゆう」に、岸本尚毅氏が「選者は孤独だ」と書いていたのを思い出す。それは尚毅と裕明の師である爽波や、爽波の師である虚子や、俳句仲間であり尚毅の句の選者でもあった田中裕明のことをも思ってのことだろう。

そして、今日この新型コロナウイルスが蔓延する世界では誰もが孤独を味わい、彼ら選者の孤独が身に染みて来る。
東京で生まれ育った波多野爽波が終の棲家に選んだのは大阪府枚方市。宇治川が桂川と合流して淀川になるあたり。田中裕明が育ったのは淀川区、そして淀川流域の三島郡に居を構えた。江戸時代には船で行き交ったことを思うと、今、同じ流域の下流に住む私も親しみを感じる。
普段は賑やかな淀川区も、今はコロナ禍でしんと静まりかえっている。活気溢れる大阪のど真ん中、三年ほどの孤独の中で爽波と裕明さんと私はとても親しくなれた気分だ。

歩くうちたのしくなりぬ麦の秋　　裕明『先生から手紙』

裕明の句集『先生から手紙』には、爽波の俳句へのオマージュととれる句がいくつもある。

闇汁に甚だ齢を距てけり　　爽波『湯呑』
闇汁の齢高きを敬へり　　裕明『先生から手紙』

有名なこの二句も、

水遊びする子に手紙来ることなく　爽波「『一筆』以後」
水遊びする子に先生から手紙　裕明『先生から手紙』

オマージュとはいえないかもしれないが、師と弟子は、句を作る際の立ち位置が似ているようだ。

蟹歩き亡き人宛にまだ来る文　爽波『湯呑』
亡き人の好みし場所や石蕗咲きて　裕明『先生から手紙』
郵便夫最後の手紙竹落葉　裕明『〃』

「遺句集」という存在は、完結してしまった俳人のものというマイナスイメージが強いが、実は今生きている私たち読者に過去への新たな視点をくれるものでもあると次の句は教えてくれる。

遺句集といふうすきもの菌山　裕明『先生から手紙』

父親、或いは芭蕉について

父と子の光景

二年前に出た村上春樹の『猫を棄てる〜父親について語るとき』（文藝春秋）は彼の育った夙川と、自らの父について書かれた短い小説だ。

僕と父の間には――おそらく世の中のたいていの親子関係がそうであるように――楽しいこともあれば、それほど愉快ではないこともあった。でも今でもいちばんありありと僕の脳裏に蘇ってくるのは、なぜかそのどちらでもない、とても平凡な日常のありふれた光景だ。

と冒頭近くに書かれている。なるほど、この短い小説は村上春樹のこれまでの作品よりは、少し平凡かもしれない。父と戦争、そして俳句にも触れられる。
春樹の父、村上千秋は俳人だった。戦後、教師になった父に連れられ、春樹少年も何度か句会に連れていかれたという。

一度ハイキングがてら、滋賀の石山寺《いしやまでら》の山内にある、芭蕉がしばらく滞在していたと言われる山中の古い庵を借りて、句会を催したことがあった。どうしてかはわからないが、その昼下がりの情景を今でもくっきりとよく覚えている。

春樹が芭蕉のことを書くなど目にしたことはなかったが、句会はおそらく幻住庵でのことだろう。
そこは「ふるさと創生事業」で再建、整備され、春樹が訪れた頃より綺麗になっているようだが、庵のある近江は、現代も芭蕉の時代さえもさほど遠くはないかに見える。庵の周りは、なんら現代という「幻」の気配はなく、むしろ春樹が来たときも、芭蕉が来たときも、こんなであったのかもしれないというように、椎の木の山影にある。

小説に戻ろう。ここでは、父親と春樹少年が猫を棄てにゆくエピソードから、幼年期に里子に出された父親のエピソードや、戦争にしかもビルマ戦線などの激戦地へ行くかもしれなかった父親の従軍のエピソードを、棄てた猫が戻ってきたというエピソードに重ね合わせて、淡々と描いてゆく。

ネットのレビューでは、この短い小説の評判はよろしくない。それはきっと今までの「アンチ日本的」といえそうな村上春樹の小説世界とは違って、ややもすると書くことを拒んでいたような、彼の「日本的」な生い立ちを描いていながら、「後は御想像にお任せします」と深く書くことを拒んでいるような内容に対しての意見かもしれない。けれども、ウェットな日本的な私小説ではなく、私にとってはさらっとした「俳句的私小説」として読め、むしろ、そこが気に入った。

父親、村上千秋は若くして俳句を始め、「京大ホトトギス会」に学び、「京鹿子」で鈴鹿野風呂の弟子となり、句歴を積んだらしい。兵庫県の高校で教壇に立ち、春樹も『雨月物語』など日本の古典を叩き込まれたが、父親に反発するようにかえって英米文学に強くひかれていったと語っている。

たいがいの子どもは、父のようにならなくてはと思うか、父のようにはなりたくないと思うか、というどちらかの葛藤がある。私も親になり、四十を超えてみると、親という存在に抗っているばかりでは自分の気持ちを解決することは出来ない、その存在を認めることでしか消化出来ないと思うようになった。春樹もまた、父親の臨終に際して、父親を理解しよう、ウェットな日本文学を否定せず消化していこうという、和解の段階にきたのかもしれない。

春樹は若き日の父の句をあげる。

鳥渡るあああの先に故国《くに》がある　千秋
兵にして僧なり月に合掌す　千秋

そして「僕は俳句の専門家ではないので、これらの句がどの程度の出来のものなのか、そういう判断は手に余る。しかしこのような句を詠んでいる二十歳の文学青年の姿を想像するのは、それほどむずかしい作業ではない。これらの句を支えているのは詩的な技巧ではなく、どこまでも素直な心情だからだ」と言葉を使った表現者同士として句を読みとる。

また父は「自分が、時代に邪魔をされて歩むことのできなかった人生を、自分に代わって、僕に歩んでもらいたかったのだと思う。そのためにはどんな犠牲も惜しまないという気持ちでいたはずだ」「でも僕にはそのような父の期待に十分こたえることができなかった」と確執についても、静かに分析する。

あとがきに村上春樹はこう書いている。

「でも僕としてはそれをいわゆる『メッセージ』として書きたくはなかった。歴史の片隅にあるひとつの名もなき物語として、できるだけそのままの形で提示したかっただけだ」

『芭蕉の風景』

小澤實ファンとして待ちに待った新刊だった『芭蕉の風景』（ウェッジ）。この本に収録されるのは、新幹線の車内雑誌「ひととき」に長く連載されていたもの。芭蕉が歩いた全国各地を實もまた歩き、現代の風景と句を綴る。関西に住む子育て中の私を、東京の母が手伝いに来てくれる際によく持ってきてもらった。出産と引っ越しばかりで本屋に行くこともままならなかった頃、この雑誌を読むのを心から楽しみにしていたのだった。

中でも、滋賀県大津市の膳所にある芭蕉の弟子の菅沼曲翠の旧邸宅跡や、芭蕉の墓所である義仲寺の裏山にある「竜が丘俳人墓地」はこの連載で初めて知った。当時の私の自宅から自転車でゆけるところに多くの史跡があることを知り、子どもたちを幼稚園に送り出した後たびたび訪れた。

行《ゆく》春《はる》や鳥《とり》啼《なき》魚《うを》の目《め》は泪《なみだ》　芭蕉

この句には、芭蕉の愛読書だった『荘子』の一節が呼応しまいかと私は考える。

「齧欠《げきけつ》が（先生の）王倪《おうげい》にたずねた、『先生はすべての存在がひとしく善しとして認めるような（絶対的な価値を持つ）ものをご存知でしょうか』（王倪は）答えた、『わしに、どうしてそれが分かろう』」（かっこ内は筆者註）

（金谷治訳注『荘子』斉物論篇　岩波文庫）

とあり、さらに「毛嬙や麗姫は、人はだれもが美人だと考えるが、魚はそれを見ると水底深くもぐりこみ、鳥はそれを見ると空高く飛び上り、鹿はそれを見ると跳びあがって逃げ出す。この四類の中でどれが世界じゅうの本当の美を知っていることになるのか。わしの目から見ると（世間での）仁義のあり方や善し悪しの道すじは、雑然と混乱している。その区別をわきまえることが、どうしてわしにできようか」（かっこ内は筆者註）とある部分。

人間が「美しい」と思っているものを疑え、鳥や魚や鹿の目になってもみろ、というような一節に対し、芭蕉は行く春のこの別れこそは、鳥や魚やまして人間でなら涙を浮かべずにいられないくらい哀しいと今の私は解釈してみる。

この句について『芭蕉の風景』の中で、小澤實はこう書く。


歌人半田良平の『芭蕉俳句新釈』（大正十四年・一九二五年刊）が高濱虚子の掲出句の鑑賞を紹介している。「高濱虚子氏が『恰度《ちょうど》お釈迦様の涅槃の図にいろんな動物が涙を流して悲しんでゐるのと同じやうに、何もかも泣いて別れを惜しんでゐる、といふ風に見ればよからう』。この説に共感する。ふつう涅槃図に鳥の姿は見えるが、魚の姿は見えない。そこで「魚の目は泪」に俳味が生まれる。この句で惜しまれているのは、まず春という季節の死。その上で、芭蕉自身の旅先での死もほのめかされているのだろう。芭蕉はこの奥州北陸への旅から生きて帰れるものとは思っていなかった。この思いは『おくのほそ道』末尾の「大垣」の門弟たちが芭蕉に会う場面の「蘇生のものにあふがごとく」、つまり「生きかえった者に

会うように」という表現に遠く呼応する。（略）

鉄橋に万の鉄鋲春日差す　實

春風やちゃぼもうづらも一つ小屋

村上春樹が訪れた幻住庵を實も訪れる。

先《まづ》たのむ椎の木も有《あり》夏木立　芭蕉

「頼みにするのは、人ではないのだ。（中略）芭蕉は、現代のぼくらに問い掛けてくる。人間中心ではない、真に椎の木を頼りにするという生き方ができるかどうかを」と實は記す。父の如き、大いなる存在としての芭蕉。芭蕉が頼みにしていた椎の木。彼は芭蕉の足跡を追い、存在に追いつこうとし、或いは違う景色を見ようとする。

秋風や湖《うみ》の港の舟に犬　實『芭蕉の風景』

家族の風景

太郎冠者寒さを言へり次郎冠者に　智恵『呼応』

小澤氏を師とする相子智恵さんが第一句集『呼応』（左右社）を上梓した。智恵さんとは、もう二十年前に、私が「澤」で学ばせてもらっていたときに仲良くなった。あるときは、句会の二次会で焼き鳥を食べ、水族館へ吟行に行き、いつもてきぱきとして、とても一歳下とは思えない彼女に私は頼っていた。そして彼女の句にもまた圧倒された。

北斎漫画ぽろぽろ人のこぼるる秋　智恵『呼応』
阿修羅三面互ひ見えずよ寒の内　智恵『〃』
松下村塾八畳一間草青む　智恵『〃』

これらの句が発表されたとき、私はすぐ彼女に「句集で読みたい」と告げた。彼女は笑っていた。私が「澤」を去った今でも、小澤實氏と相子智恵氏は、真っ先に読む特別な存在だ。今生きている人の中で、その新作を期待する数少ない俳人だ。

「太郎冠者」や「阿修羅」の句が鮮烈な印象を残したので、その後はどう詠み続けるのか気にかけていたが、二〇〇九年には「蒿苣《ちしや》」で角川俳句賞を受賞。俳人として着実に歩を進めていると実感させた。

やがてわが身を我出てゆかん息白し　智恵『呼応』
牡丹雪みるみる傘を暗くせり　智恵『〃』

「父の病をきっかけに句集をまとめ始めたが、間に合わなかった。十二年前、角川俳句賞を受賞した時、父は『俳句はわからん』と笑いながら、鉛筆型のトロフィーをくれた。精密機器加工の工場を営んでいた父が、自ら設計し機械を動かして作ってくれたものだった。機械の部品じみた無骨なダイカスト製のトロフィー。あの『わからん』を、もう一度聞きたかった」と、あとがきに智恵は記す。

その人の見た、歩いた風景を追ってゆく。分かりたいと言葉を尽くす。

それでも父という存在は「わからん」かもしれない。バカボンのパパのように「これでいいのだ」とはいわない。それが一般的な父なのだろう。

今、二〇二二年の四月現在、世界は解り合えず、多くの人が戦争の暴力に曝されている。家族のような国同士がいがみ合い、人と人はこんなに近くても許し合うことが難しいと思い知らされ、困難にぶち当たっている。

言葉で表すことに立ち戻ってみても、ごく身近な家族である父と子が、人と人が、解り合えないという絶望と、解りたくもないし解り合えないが、何とかそのまま認め合っていこうという諦観を、行ったり来たりしてゆく。

それでも、これらの本を読むとき、いつかは解り合えるかもしれない、解り合いたい、と皆が思っているのだと感じる。ほんの少しの希望を言葉に託し、私たちは俳句を綴ってゆく。


遠きテレビ消すリモコンや去年今年　　　智恵『呼応』

八月と歴史と若者たち

八月来

私の八月は、毎年子どもたちの夏休みに追われるが、「俳句甲子園」とNHKの「終戦特集」番組のチェックは欠かさない。

家族に満州から引き揚げてきたものがいたせいからか、なぜかずっと引揚者たちの戦争の証言を記録する番組を見続けてきた。ここ何年かは、満州などの北方の特集は少なく、インパールはじめ南方戦線の特集が多い。

昨年は、『戦火のホトトギス』というタイトルで、太平洋戦争中の「ホトトギス」の若い俳人たちの足跡を辿った特集だった。

『平松小いとゞ全集』は、私の結社の主宰から心を打たれたと薦められていた。小いとゞは「ホトトギス」の俳人・平松竈馬《いとど》の長男で、幼いときから俳句に親しみ、十二歳で「ホトトギス」に入選した。昭和十七年に応召、十九年には「ホトトギス」の初巻頭を取った。

動員の夜はしづかに牡丹雪　小いとゞ
紙白く書き遺すべき手あたゝむ　小いとゞ

六月五日、河南省の戦闘で敵弾が目から頭を突き抜けて戦死。二十七歳。竈馬から師・高濱虚子への手紙には「遺品のうちホトトギス十一月号一冊よりない所から、四月号の巻頭を（取っていたのは）知らなかつたものと想定します。父として尤も残念に思ひます」（かっこ内は筆者註）とある。男が泣くということは最も憚られた戦中に、

声あげて泣くだけ泣きし端居かな　竈馬

という句を作っている。作らずにはいられなかっただろう。歴史を学ぶ、ということ。忘れず、学び続けること。毎年終戦特集を見ながらこれを考え続けている。

テレビでは、同じく当時の「ホトトギス」に戦地から投句していた竹下陶子《とうし》

さんのことも語られていた。陶子さんは私の会の主宰と親しく、身近に感じていた俳人だった。

敵の山味方の山と夕焼けぬ　陶子

虚子の提唱した「存問」は「安否を問う」ということ。「ホトトギス」は戦地からの若者たちの存問の俳句をぎりぎりまで載せ続けた。
戦時下であっても、疫病禍であっても、平和を感じていても、私たちは俳句を通して「お元気ですか」と問うてゆく。それは、上手い俳句だとか、強い俳句だとか、そういう一般的な物指しでは測ることの出来ない、「存問」という俳句の本質が、現代の私たちにこそとりわけ必要なのかもしれないと番組を通じて感じた。

敵といふもの今は無し秋の月　虚子『六百句』

若者たちの生きる道

夏井いつき、といえば今引っぱりだこの俳人だ。
彼女が「俳句甲子園」を呼びかけ始めたのは、まだ三十代の若い頃。その高校生の俳句大会である「俳句甲子園」を見学に行った際に、ピンチヒッターで審査員を頼まれ知り合って以来、二十数年を経ているが私にとっては彼女はまだパワー溢れる若い俳人だ。

火の神をおさへる石と露草と　　いつき『鶴』

新しい俳句の表現を求め、誰も詠んでいない世界を探し、どすどすと踏みしめていくようなパワーのある俳句だ。これはもともと彼女の俳句に対して持っていた私の感想だが、新しい句集を読むと、未知の領域を求めてそれを広げることだけが「新しさ」ではないと思わせるような句が出てきた。季題の本意を知ることで、俳句の歴史を否定せず、自らの俳句を深くするために利用していこうとするかのような変化が出てきたのだ。

黒き旗かかげ月下の家となる　いつき『鶴』
腕を吊る白布にすがる秋の蜂　いつき『〃』
菊人形となる前の首置いてある　いつき『〃』
南蛮炉に火を飼ふ秋のしぐれかな　いつき『〃』

新しいものなら何でも俳句に詠んでいこうとしていた姿勢も、今では歴史すら味方につけようとしているかのようだ。そして彼女はメディアに利用されつつも、利用されてもいいと思い、それがひいては自分のためになるとでもいうかのようだ。

周りを豊かにすることで、それは自らに返ってきて自分も豊かになるという、思想家ジャック・アタリのいうところの「利己的な利他主義」という哲学を実践しているかのように見える。

そして、もう若者とはいえない年齢となったが、私の同期の俳人には注目すべき「俳句野郎」がいる。中内亮玄、堀本裕樹。彼らは「俳句甲子園」や学生俳句会の出身ではない。世間的には、二十代をバブル崩壊後の「失われた十年」に費やした。彼らの俳句にがつがつとした若い印象を持つのは、貪欲であろうとするからというよりも、崖っぷちというべき時代に世の中に出てきた故なのかもしれない。

絶壁を駆けのぼりくる虫のこゑ　　堀本裕樹『一粟』

堀本の句集『一粟《いちぞく》』の読後は、彼の句は、先人へのオマージュ、あるいは忌日俳句であるかのように思えた。

紙魚のぼりつめて天金崖なせり　　裕樹『一粟』
健次忌の海暮るるまで泳ぎけり　　裕樹『〃』

もう一度読むと、ああオマージュではなく、美術でいうコラージュの手法なのだと感じた。大好きなものを収集して切り張りし、別の世界を作る。私自身の文章もそういったところがあるから分かるのだが、自分の文章の中で自分自身の考えは小さい、と悲観的になるときがある。だが、コラージュだって良い。美術家のジョセフ・コーネルの箱の作品のように、どこまでも好きな世界を収集し尽くせば良いのだ。コラージュであろうとリサイクルであろうと、良いものは良い。歴史はあまりにも膨大すぎて、偉大すぎる。自分はちっぽけだと認め、他者と他者の歴史を認めようという試みがこの手法の根源なのだ。

蘭と楽譜と眼鏡と義母を入れる棺　いつき『鶴』

例えば、夏井のこの動詞の少ない句も、こういうコラージュの手法だ。

もう天才も現れて去ってしまった、歴史も起こってしまい終わった後のようなこの時代。努力しないと這い上がれない、いや努力したって這い上がれない時代に、先人たちの歴史が越えられない壁のように聳えている。そこを越えようと努力はするが、あるいはその壁をよじ登る途中であたりの景色を見回し、壁さえも自分の景色として、歴史のままに一句に取り込んでゆく。

断崖絶壁の途中でさえも「ヤッホー」と声を上げ、楽しんでしまうような、そんな俳句が出来たら、私たちにとっては成功なのだ。楽な道に戻れず、一生を終えるかもしれないと感じ続けているから、険しい過程を楽しみたい、そういう技術を学んできた世代だ。

すがれ虫枯れ尽くすまで男ごゑ　裕樹『一粟』

中内亮玄は、四十代になって「俳諧旅団　月鳴」を主宰している。福井で孤高の俳句トレーニングに励むが如く我が道をゆく。

半眼の蛇真っ黒な身を絞り　亮玄「月鳴」第参号

鴨群れて睦みて流れ潟に冬　亮玄　〃

句風でいえば、堀本も中内も、あるいは私も、若いときは強さやインパクトを求めすぎ、空回りしていたようにも思う。今、四十代となって彼らの俳句を見ると、インパクトだけではないマイペースな俳句が作りだされているように感じる。

辛夷見事この春の日の続くかな　亮玄「月鳴」第参号

入れ替り立ち替り来る電車炎ゆ　裕樹『一粟』

もう少し後のいわゆる「ゆとり世代」と呼ばれるような若者たちと比べると、私たち「失われた世代」は、やる気を見せず、壁を越えてゆく偉業など成しえないかのように見える。

しかし人に何といわれようが、コツコツ自分の好きなことをやり、好き勝手な道をゆく。偉業など成しえないかのようだというところが、むしろ私たちの世代の特色で、まさに「凡人」だといえる部分が大切なのだ。

その世代の女性としては、男性中心の社会を批判することに重きをおいて生きれば良い。もっと公平になるようにとがむしゃらに頑張っていけば良い。もちろんこれはまだ非常に難しいが。

だが、さて男性はどういう生き方をとっていけば良いのだろうか。私も家庭で二人の男子を育てる身として、女性を尊重し、思いやることの出来る男性の人材を二人増やせたらと思っている。では、彼ら男性をどう導けば世界は救われるのだろうか。

その答えのヒントは、ロシアのウクライナ侵攻にからむ各国のリーダーたちにあるかもしれない。二〇二二年の今日、フィンランドやスウェーデン、あるいはニュージーランドなど、ロシアに比べると国土の面積が大きくない国では、女性の政治のリーダーが多く見られるようになった。

戻って、ロシアのプーチン大統領を見れば、戦力を強化し、国土を広げ国民を豊かにし、欧米をやり込め、自らの身体を鍛えて若く見せ、端から見ると（テレビやインターネットなどの足りない情報からの視点なのだが）「ある意味パーフェクトな人間」に見せようと徹底して努力をしているように思われる。

「ある意味パーフェクトな人間」を目指すことはとても古い時代の考え方に近いのかもしれないと、私は思う。もちろん、大前提として、より良い暮らしや世界を求めることは人間の根源的な思考としてあることは分かっている。

だが、優れていることだけを求め他を排除するだけではない、多様的に物事を見、他者を認めていく必要性を私たち現代人は求められているのではないか。

一方で、私個人はウクライナのゼレンスキー大統領は、「凡人」だとも感じる。どちらが正しい、と決めるわけではない。ただ、目指したいと思う人間はどちらか、と問いかけられたなら、現代にあってはまだ「凡人」のほうがましなのかもしれないと思ってしまう。

昨今のニュースを見ている限りでは、現代にあっては、リーダーに求めるものは強さ第一の「パーフェクトな権力者」ではなく、平和的思考や良心を持った「仕事をしてくれる凡人」になってきていると感じる。その思考の傾向が長く続くのかどうかは分からないが。

男性に、あるいは男性ではない他の人間にも、これから求められていくのは「素朴な凡人」なのかもしれない。考えてみれば、創作の上では昔からずっとこれを実践してきたたくさんの俳人たちもいる。

父一人はしゃいで一人クリスマス　亮玄「月鳴」第参号
ひまわりは満開全力で君に刺され　亮玄〃

『老子』にこういう一節がある。

「政治がぼーっと大まかであれば、人民は純朴である。政治が厳しくこまかいと、人民はずるがしこい」（蜂屋邦夫訳注『老子』岩波文庫）という第五十八章だ。

平和も、自分なりの俳句を作ることも、そのタイミングはすぐには来ないかもしれない。しかし、迷い、たちどまりつつ、私たちは考え続けてゆく。


老木を覆へる葛や咲き垂るる　裕樹『一粟』

彼女たちの時代を召喚する俳句

鎮魂と救済

私はいつもきちんとしているように努めていました。私はよく言われました。「一体全体、あの子は戦闘に出ていたことがあるのかね？　あんなに清楚で」私は殺された時にみっともなく倒れているなんてどうしてもいやだった。殺された女の子をたくさん見ていたわ。どろんこまみれや水の中の。そういう死に方をしたくなかったの。機銃掃射を受けたときも、殺されたくないと思うより、とにかく顔を隠したものよ。

（スヴェトラーナ・アレクシエーヴィチ『戦争は女の顔をしていない』
三浦みどり訳　岩波現代文庫）

稲畑汀子さんが亡くなった。二月が終わる日、その知らせは突然にやってきた。

終戦の翌年、十五歳の汀子は自らカトリックの洗礼を受けた。戦争についてはこう語っている。

「戦争中は勤労動員で、学校が川西の工場（紫電改を製造した川西航空機）になったんです、あの聖心が、ですよ。私はジュラルミンを切って飛行機の部品を作ったりしてました。もともとが機械好きだから、鉋を研いだり、そんなのはうまいものですよ」（かっこ内は筆者註）

「昭和二十年八月六日の未明に空襲で家が焼けました。阪急の（芦屋）駅からちょうどうちまで焼けたんです。あのときの父の哀れな姿、忘れないわねえ。本も何も、大事なものはみんな焼けてしまいました」（かっこ内は筆者註）

（「俳句」平成十六年八月号「稲畑汀子『汀子句集』とその時代」）

この箇所を読み返すと私は「わたしが一番きれいだったとき」という茨木のり子の詩の一節を思い出す。

わたしが一番きれいだったとき

街々はがらがら崩れていって
とんでもないところから
青空なんかが見えたりした

わたしが一番きれいだったとき
まわりの人達が沢山死んだ
工場で　海で　名もない島で
わたしはおしゃれのきっかけを落してしまった

この「わたしが一番きれいだったとき」という有名な詩の最後はこうある。

だから決めた　できれば長生きすることに
年とってから凄く美しい絵を描いた
フランスのルオー爺さんのように
　　　　　　　　　　　　ね

彼女たちの「長生きする」ということには、大いに理由があるのだと感じる。その時代の彼女たちの声。第二次世界大戦に従軍した女性たちからの聞き書き『戦争は女の顔をしていない』をアレクシエーヴィチはそれを長編で書き、茨木のり子は詩の形式で書いた。

私は一行ずつじっくり読み、一句ずつじっくり読む。

武者人形飾りし床の大きさよ　汀子『汀子句集』

炭つぐにさうこまごまと云ふはいや　汀子『〃』

汀子は、四十六歳のときに父、高濱年尾が脳梗塞で倒れ、「ホトトギス」雑詠選者になる。三人の子どもはだいぶ成長していたが、目の回るような毎日だっただろう。さらに二年後、夫の難病発病で病院に泊まり込み、年尾が逝去し主宰を継いだ。その翌年に「ホトトギス」は一千号を迎え、夫を亡くすという激動の日々が続いた。

だが彼女の俳句はクヨクヨと嘆くことはない。

あたゝかや笑つて写真撮ることに　汀子『汀子句集』

五月のバラ

ベラルーシの第一戦線に二十七人の女の子が到着しました。

男たちはびっくりして眼をみはっています。

「洗濯女でもなく電話係でもない女狙撃兵!!　そんな女の子を見るのは初めてだ」と。曹長は「戦争で心をゆがめられないように、五月のバラの花のようにうっとりさせるような娘たちのままであるように」という意味の詩を捧げてくれました。

（『戦争は女の顔をしていない』）

ここで敢えて私事を少し書きたいと思う。辻りんという無名の俳人が私の祖母だ。コロナ禍の三月、汀子さんが亡くなった翌日に百六歳で亡くなった。俳句は角川源義や細見綾子に学んだ。昭和二十六年には俳句を作っていたというから句歴は七十年を超える。りんさんは俳句だけでなく、よく詩を暗唱していた。中でも、

バラは五月に咲くけれど　いつも五月じゃないからね

という一編。今となっては誰の詩であったかも不明だ。

若い頃は勉強が好きで数学の教師になりたかったが、家の没落でそれもかなわなかった。その話をコロナ禍になってから母の従兄に初めて詳しく聞いた。

昔かりりんさんは、常に人から馬鹿にされないよう努めているようだったが、私はそれがなぜなのか理解出来なかった。母をはじめ娘三人の躾や身なりには厳しかった。とりわけ母や伯母や孫の私が発表する俳句についてはうるさく批評し、「これでは駄目だ。勉強が足りない」とばかりいわれた。若い頃はそれを疎ましく思った。あなたの俳句と私の俳句は違うのよと。

それでも、私も子どもを育てるようになってから、少しずつ祖母の気持ちが分かるようになってきた。彼女には、何か娘や孫にいえない苦難の過去があったのだ。忘れたくても忘れられない。悔しくても人にいえない、でもいつかはいいたいような自らの物語を持っていたのだ、と。それを僅かににじませている俳句がある。自分の歩まなかった佳い人生を子どもたちに歩ませたいという気持ちは、世間一般にはよくあるのだろうけれど、彼女の場合は自分のしたような思いを子どもたちには決してさせまいと「命を懸けて」考えていたようだった。

朽ちてなほ蔵の確かや椿落つ　りん『百歳句集』
来てみれば昔のままに春の川　りん『〃』
脱藩も家出もよかれ春の風　りん『〃』

ただの一読者となって祖母の句を読むとき、私は茨木のり子の詩「自分の感受性くらい」を思い出す。

駄目なことの一切を
時代のせいにはするな
わずかに光る尊厳の放棄

自分の感受性くらい
自分で守れ

ばかものよ

読むたびに、そこにりんさんがいるように感じる。りんさん自身が「ばかものよ」といっているかのようだ。

また、汀子は戦争を俳句に詠まないことで意思表示をした。だが、私の祖母はこういう句を作っていた。

万歳をせし日もありし敗戦日　りん『百歳句集』

米五キロ重し八月十五日　りん『〃』

俳句や詩の読者である私は、イタコのように、傷ついた彼女たちの魂を召喚する。

小説やルポルタージュは言葉を尽くす。だが、俳句はたった一句で、彼女たちの生きた時代の魂を呼び寄せることが出来る。

鎮魂と再生

私の前で伝説の人は生きた人間となり、現実の人間の命をもって地上に降りてくる。巨大な人間がちっぽけな人間に。どんなに私が空や海を眺めるのが好きであっても、やはり私は顕微鏡で覗《のぞ》くちっちゃな砂粒のほうにより惹かれる、一滴の世界に。そこに私が発見する大きな世界に。

（『戦争は女の顔をしていない』）

和田華凜さんの句集『月華』が届いた。

戦争中、私の祖父は立川の陸軍航空技術研究所に勤めていて、よく祖母は「空襲警報が鳴ると、おじいちゃんは基地から帰ってきてその土足のまま家に逃げて来て歩き回るから本当に嫌だった」といっていた。

華凜さんの祖父、後藤比奈夫さんも技研に勤めていたという。

私の育った立川は基地の名残が今でもあるが、華凜さんの父・立夫さんは立川の隣の国立市で生まれたと聞いていた。母から、立夫さんは母と年が近く幼い頃に遊んだ場所も同じだったらしいと聞き、それらのことから私は立夫さんや比奈夫さん、華凜さんに勝手に親しみを持っていた。

立夫さんの亡くなったあと、華凜さんは「諷詠」の主宰を継いだ。

見送るも大事な役目残る鴨　　華凜『月華』

父、祖父と道を問うべき師を相次いで亡くしたが、彼女の句には悲壮感はない。古く大きな結社を継ぐことは容易ではないはずなのに。ちょうど汀子が「いろいろな試練を越えて来ましたけれど、すごく恵まれた人生を送って来たと思います」というように。

更衣人は身軽になりたがる　　華凜『月華』
きつとある自然治癒力日向ぼこ　　華凜『〃』

森賀まりさんの句集『しみづあたたかをふくむ』。

華凜さんの句のように、この句集もまた、苦難があるから人生はかがやくと教えてくれる。

波多野爽波のもとで俳句を学び、三人の子どもの子育ての最中に、爽波の愛弟子だった夫を亡くした彼女の、苦難の道すじを思いながら句集を繙く。だが、そこにある意外なほどさっぱりとした俳句に読者は面食らうかもしれない。そして彼女本人の明るく健やかな立ち姿にハッとさせられる。

秋の蜘蛛息吹きかけてすこし追ふ　　まり『しみづあたたかをふくむ』

歌ひつつ歩けど遠し芒原　　まり『〃』

ツイードの重たき冬の来たりけり　　まり『〃』

線香が無くてひあふぎ見て帰る　　まり『〃』

最後に挙げた句など、爽波のすっとぼけた客観写生をよく受け継いでいる。力があることを見せつけずに淡々と、日々目の前にあるものを詠む。

読者の私は試練の痕を探そうとしてしまうが、そこに詠まれているのは目の前の砂の一粒一粒を丁寧に観察し描写しているだけのようだ。

白き顔ひとつたうもろこしの花　　まり『しみづあたたかをふくむ』

「今も思うんだけれど、試練というものは人に必ず与えられるものでしょう。

それと同時に試練に耐える力も与えられるのね。不思議にそうよ。だけど、それを感じないで、『自分は世界で一番不幸で、一番だめな人間だ』と思ったら、それでおしまい。『こんな苦しい試練を頂いているけれど、それに耐えられる力も与えられている』ということに気がつかないとだめなわけ。私はそれに気がついたような感じがします」と汀子が語ったこともまた思い出している。

虚子と老子——女性嫌悪を超えるもの

虫

命かけて芋虫憎む女かな　高濱虚子

芋虫のしづかなれども憎みけり　山口誓子

奥本大三郎氏がこの句をとりあげていた。虚子には

酌婦来る灯取虫より汚きが　虚子

という虫の句もある。どちらも「憎む」「汚き」というインパクトの強い表現を使っている。奥本氏はこう書く。

「なぜ嫌いか。植物の葉を齧って、害をするからか、——いや、そんなことは

どうでもよい、たとえ何もしなくても、存在そのものが気持ちが悪い、この世から消えてしまえ、嫌いだと言ったら嫌いなのである。そこに理屈はない」

（「俳句」二〇二二年四月号）

奥本氏はファーブルのように客観的に観察し、簡潔な文章で表現する。嫌われるものとしての芋虫、毛虫。そして差別的だと批判される「灯取虫」の句。戦後俳壇では文化勲章の栄誉にあずかるも、終始批判もされた虚子という人物。これについて何年も考えている。

私の師は高濱虚子について学び始めた頃、私淑していた波多野爽波にこう聞いたことがあるという。

あるとき私は恐る恐る「先生がいちばん好きな虚子先生の句はどれですか」と伺った。すると〈酌婦来る灯取虫より汚きが〉とおっしゃった。「えーっ」と私はのけぞってしまった。「あの句は、虚子先生の句のなかで、最も皆に嫌われている句ではないですか。私の連衆のなかにも『酌婦』の句があるから虚子が嫌いだ、という人がいるくらいです」爽波先生はおっしゃった。「俳句の読み手は、自分がその句を読めないことを棚に上げて、作り手を非難するのですよ。よく考えてごらんなさい。この句は俳句の世界では今までにない句だから皆驚いて拒否するけれど、例えばこれが映画の一場面だと思ったらどうですか。（略）虚子は汚いから嫌だとは言っていない、現実というものには美も醜もない。ただありのままにそうだったと言っているのですよ。酌婦でしかも醜いと言い切っているのは、あまりにもかわいそうという気持ちの極まったものなのです」

（「童子」二〇二〇年九月号）

爽波は、普段聞いたことのない口調で、美女が出て来たのでは三文小説、汚い酌婦だからこそ、一句に詠むということは愛なのだと説いたという。私は『老子』の一節を思い出す。

「世の中の人々は、みな美しいものは美しいと思っているが、じつはそれは醜《みにく》いものにほかならない。みな善いものは善いと思っているが、じつはそれは善くないものにほかならない」

（蜂屋邦夫訳注『老子』第二章　岩波文庫）

虚子という存在

二十年ほど前、私はまだ日本伝統俳句協会に入っておらず、「ホトトギス」についての知識がなかった頃、「ホトトギス」という結社については批判的だった。若い人の句会で「ホトトギス」の阪西敦子さんに会ったとき、自分の結社についてどう思っているのか尋ねたことがある。彼女曰く、この会は王国のようなものだという。ブータンのように平和的な、そこだけで完結する国だというのだ。

それを聞いて俳句世間でいわれているような、鎖国的な結社という印象と実態は違うのでは？　と感じた。

それまでは、ただ周りの俳人の印象やうわさ話に流され、じっくりとその俳句を読むこともせず、虚子や「ホトトギス」に対して批判的だったのではないかと思うようになった。その頃、「俳句甲子園」で一緒に審査員をした稲畑廣太郎さん、坊城俊樹さんに誘われ、もう一歩踏み込み、虚子について知りたいと思い日本伝統俳句協会に入った。

筑紫磐井氏の『虚子は戦後俳句をどう読んだか』を今頃じっくり読んでいる。

磐井氏は、虚子という人物にずっと挑み続けている。以前、私の俳句の友人は「磐井氏は虚子という大きな壁に対して、ずっとひとりで壁打ちテニスをし続けている」といい表したが、本書では、そのプレーにもう一人が加わったという印象だ。単独だったプレイヤーが二人になり、スポーツでいうところのスカッシュのような様相を呈してきた。

そのもう一人のプレイヤーは本井英氏だ。

本井氏は虚子に対し、研究より深い、信仰に近いほどの興味を示し続けている。虚子について詳しく知りたければ、本井氏と今井千鶴子氏に学ぶべきといわれるほどだが、その本井氏の虚子への愛が、もともと磐井氏にあった虚子への皮肉な興味を別な方向へと導いたのかもしれない。

本井氏は主宰する「夏潮」の別冊として「虚子研究号」を毎年出している。虚子に好意的な文章だけではなく、虚子に対する批判的な文章も多く掲載されるが、この中の磐井氏の連載「虚子による戦後俳句史」をまとめ、再編集したものが前掲の書物の土台となっている。

「虚子研究号」の連載当初は「虚子の論評も懇切丁寧なものもあれば、繰り返しや一言だけの味も素っ気もないコメントもあり玉石混淆であるが、全体を総括して眺めればそれらもなにがしかの価値が見いだせると思う」と限定的、否定的なニュアンスが感じられた磐井氏だったが、本書のまえがきでは「もちろん虚子が全面的に正しいとは言わない」としつつも、「保守頑迷と思っていた虚子が、これらのグループ（4S・新興俳句・人間探求派・社会性俳句）を一律に否定することもなく、またそれぞれの中のグループの作家の作品を細密に鑑賞したうえで、よしとするものと否とするものを分別した。それは、ホトトギスの作家たちについても同じであった」（かっこ内は筆者註）と肯定的な評価に変わっている。

連載、あるいはそれを再編集する過程で、磐井氏の考えにかなりの変化があったように読者は感じる。

「虚子という存在」は、磐井氏だけでなく、「ホトトギス」以外の多くの俳人たちから批判され続けてきた。しかし虚子と同時代を生きた俳人たちが虚子の俳句作品や俳論を読まずに、虚子を批判していたとは思えない。『虚子は戦後俳句をどう読んだか』で取り上げられる「玉藻」の「研究座談会」なども「ホトトギス」「玉藻」以外の俳人にも読まれていたのではないか。

ではなぜ、虚子に対する評価に何らかの変化を見せた磐井氏のように、当時の敵対的な批判に何の変化も無かったのだろうか。私には「虚子という存在」が俳句作品やその鑑賞とは違う次元で嫌悪されているように思われてならない。

私は、守旧派でありながら柔軟さを合わせ持つところに虚子の「女性性」があり、それに対する嫌悪を感じるのではないか。虚子に向けられる必要以上の嫌悪は、女性嫌悪（ミソジニー）に似ていると。当時の社会の「理屈はない」女性嫌悪に似ていると。

逆に虚子は「女性的」なところに俳句の可能性を見出していたのではないか。それ故に彼は「近代的な男性社会」から拒否されたのではないか。少し乱暴ない い方かもしれないが、女性蔑視が意識されずにまかり通る当時の社会で、虚子というフィルターを通して「女性性」が批判されたのではないか、と私にはそんな思いがしてならない。

虚子が影響を受けた「老荘思想」。『老子』には、「女性に学べ」というこんな一節がある。

「大国は下流に位置するべきもの。天下の流れが交わるところであり、天下の女性的なるものである。女性は、いつでも、静かであることによって男性に勝つ。そもそも静かであることによってへりくだるからである」

（蜂屋邦夫訳注『老子』第六十一章　岩波文庫）

ここで、坂口昌弘氏の文を引いてみよう。

子規や漱石が老荘思想を深く理解していたから、虚子は無意識にその影響を受けていたのであろう。虚子と芭蕉に共通する普遍的な思想性を高く評価したのは、森澄雄であった。虚子の「花鳥諷詠」について、澄雄は、「老荘の『造化』にもつながる」「花鳥のなかに造化の宇宙があり、それを詠み、またそこに遊ぶのだ」（略）と、芭蕉・虚子と自らに貫道するものを洞察した。虚子の名前の「虚」は、まさしく荘子の説く「造化」の「虚」に他ならない。

（坂口昌弘『俳句論史のエッセンス』本阿弥書店）

江戸期から明治、大正期に教育を受けた者は、私たちとは比べようがないほど深く、日常的に漢籍に親しんだ。子規や漱石の影響はなくとも、虚子も子どもの時から漢籍に親しんでいたはずだ。そこでは『論語』『中庸』など四書だけでなく、『老子』『荘子』にも学んだに違いないと私は思う。

理不尽な憎悪をどう乗り越えるか、他人からの憎悪をかわし、自らも無意味な憎悪を持たないよう努力する。その句、その思想（あるいは無思想性）、その論、すべてを拒否され続ける側として、私たち男性ではないものは、『老子』「虚子」という先輩から学ぶことが出来るように思う。学ぶことで嫌悪を乗り越えてゆけるかもしれないという微かな希望を持ちたいのだ。

いと夫人と虚子

虚子の持つ女性性には、俳人として名を知られた娘たちよりも、彼の妻「いと」の存在が大きく影響したと私は思う。

「ホトトギス」は大正二年に「十句集」という女性の投句欄を設けた。それはやがて「台所雑詠」「第一次ホトトギス婦人句会」へと繋がる。初めは虚子の周りにいる女性たち、いと、立子……らに俳句を勧め、長谷川かな女ら「ホトトギス」に僅かにいた女性俳人たちにその発表の場を作り出すためだった。そこから多くの女性俳人が育ち、さらには娘の立子に「玉藻」を創刊し主宰するようすすめることで女性が俳壇に出て行く道すじをつけた。

その虚子を支えたのは妻の「いと」だった。いや「いと」こそが女性を俳壇に押し出したのだと私は考えている。

山せまる窓にあかるきつゝじ哉　かな女

子供病でつゝじ咲く頃となりにけり　いと子

高濱いと。その近親者たちの文章には、彼女が一族で一番厳しい人だったとたびたび書かれている。「俳句界」二〇二二年八月号で遠縁にあたる今井肖子氏はこう述懐する。

「中学一年生の時、祖母（今井つる女）からの届け物を持って原の台（鎌倉の虚子宅）に糸夫人を訪ねたことがある。裏木戸から入り糸夫人に『こ、こんにちは』と頭を下げた途端、『お辞儀の角度が浅い』と一喝された」（かっこ内は筆者註）

これらを読むと、いとさんをめぐる碧梧桐と虚子との三角関係の恋というエピソードから想像されるような人物と、実際の「いと」とは隔たりがあるようだと感じる。

いとは女性俳人となった娘たちを生み、育て、「ホトトギス」運営の重圧も引き受けた。虚子が突然、朝鮮へ旅立った折は、募集句選者として碧梧桐に助けを求めているときさえあるほどだ。

「ホトトギス」は漱石の「猫」掲載以来勢いを盛り返し、売れ行きも良く、後年虚子夫人いと氏の言によれば「漱石さんのおかげで売れるようになって助かったのよ」とのことだった。それまでには「印刷屋の支払いが間に合わなくて、家じゅうのものを大八車に積み質屋に運んでいった」こともあった。

（「花鳥諷詠」平成十八年九月号「女性俳句研究（33）」）

初期には自ら俳句も作ったが、彼女は一種の俳壇のフィクサー、女性が俳句を作り社会に出て行くことの後押しをした人物なのである。

私は考える。虚子はいとを「友」と形容したが、それは自分が女性と同じポジションにいたからではないだろうか。「近代的な男性社会」の中にあって、自らへの批判に対し強く抗わない虚子は弱々しく、女々しくも見える。彼のセクシャリティとは関係無しに、俳句における立ち位置は女性に近い場所にあったと感じるのだ。だからこそ、「ホトトギス」は大きな流れでありながら「近代的な男性社会」の俳壇では批判や憎悪の対象となったのだと考える。

女性嫌悪が蔓延る近代的男性社会にあって、虚子とその娘たち、「ホトトギス」女性俳人たち、これらが持つ「女性性」は格好の標的となったのはおかしくない。男性の中にも、実は「女々しく」たっていいじゃないか、と内心思う人はいるだろう。けれども虚子の生きた時代に、それを憚りなく表現することは今思うほど容易ではなかったはずだ。

「いろんな人がいて良いのだ」という、多様性を認めることが、虚子の選句の良さだと『ホトトギス雑詠選集』を繰りながら改めて思う。

近代には早すぎた人、それが虚子の一面だった。

男性であろうとそうでなかろうと、自分の好きに生きられたらいいのだ、それでいいのだと『老子』の教えは語りかける。広く見渡さないことからくる必要以上の嫌悪は分断を生む。虚子の広い選句眼、老子の無思想ともとれるような思想は、深い分断に解決のヒントをくれるのではないか。

嫌悪し合わず、殺されたり殺したりせず、分かり合える日はくるのだろうか。

考えつつ、今夜も私はなんまんだぶ、と唱えながら殺虫剤のノズルを虫に向ける。

明易や花鳥諷詠南無阿弥陀　虚子

※本書は月刊「俳句界」二〇一九年七月号から二〇二一年一二月号までに連載された「芭蕉とかけめぐる近江」、および月刊「角川俳句」二〇二二年二月号〜一二月号までに隔月で連載された「現代俳句時評」を加除修正したものである。

※本書における引用詩歌等の表記は、参照した出典に拠る。

主要参照文献

中村俊定校注『芭蕉俳句集』岩波文庫
中村俊定校注『芭蕉七部集』岩波文庫
堀切実編注『芭蕉俳文集（上）』岩波文庫
堀切実編注『芭蕉俳文集（下）』岩波文庫
堀切実編注『蕉門名家句選（下）』岩波文庫
潁原退蔵編註『芭蕉文集』岩波文庫
萩原恭男校注『芭蕉書簡集』岩波文庫
今榮藏『芭蕉書簡大成』角川書店
いかいゆり子『近江の芭蕉　松尾芭蕉の世界を旅する』サンライズ出版
さとう野火『京都・湖南の芭蕉』京都新聞出版センター
川島つゆ『女流俳人』明治書院
波多野爽波句集『舗道の花』新甲鳥
波多野爽波句集『湯呑』現代俳句協会
波多野爽波句集『骰子』角川書店
波多野爽波句集『一筆』角川書店
成田一子句集『トマトの花』朔出版
小島明句集『天使』ふらんす堂
『田中裕明全句集』ふらんす堂
有元利夫『もうひとつの空―日記と素描―』新潮社

村上春樹『猫を棄てる～父親について語るとき』文藝春秋
小澤實『芭蕉の風景』ウェッジ
金谷治訳注『荘子』岩波文庫
相子智恵句集『呼応』左右社
谷口智行編『平松小いとゞ全集』邑書林
夏井いつき句集『井月集　鶴』朝日出版社
堀本裕樹句集『一粟』駿河台出版社
蜂屋邦夫訳注『老子』岩波文庫
三浦みどり訳『戦争は女の顔をしていない』岩波現代文庫
谷川俊太郎選『茨木のり子詩集』岩波文庫
辻りん『百歳句集』文學の森
和田華凜句集『月華』ふらんす堂
森賀まり句集『しみづあたたかをふくむ』ふらんす堂
筑紫磐井編著『虚子は戦後俳句をどう読んだか　埋もれていた「玉藻」研究座談会』深夜叢書社
坂口昌弘『俳句論史のエッセンス』本阿弥書店
「角川俳句」平成十六年八月号
「花鳥諷詠」平成十八年九月号
「夏潮」別冊　虚子研究号　Vol.IV 2014
「俳諧旅団　月鳴」第参号
「童子」昭和六十二年十一月号
「童子」令和二年九月号

あとがき

家人の転勤で六年あまりを近江の地に暮らした。ずっと東京で育った私にとって近江とは学校だった。芭蕉や、俳諧の歴史を知り、文学だけでなく、地方都市での暮らし方や日本の世間というもの、あるいは、子育てや環境、そういった今まで避けてきたことをここで一から教えてもらった思いだ。

つかの間のこの地で出会った人たち、ある人は死に、ある人は袂を分かち、またある人は遠い過去の歴史の中の人たちだったが、私自身の個性や、私の俳句を作る助けをしてくれたことにおいて、みな私の師匠だった。

芭蕉が愛した近江の湖を源として流れ出る一本の川のように、私もさまざまな出会いを源として書き綴ってきた。

生きて在ることのつかの間に、誰にもつらいことはたくさんあるだろう。けれども、ここで学んだことがこれからの私を支え、励まし、金銭面ではない点で人生を豊かにすることに役立ってくれると感じている。

最後に、私の師であり母でもあり、『老子』を教えてくれた辻桃子、文章の師である安部元気、「文學の森」の加藤万帆美さん、青木美佐子さん、「角川俳句」の編集部だった北田智広さんはじめ、長い文章を書くことが得意でない私を我慢づよく励まし、導いてくださった人々に心からの御礼を申し上げたい。

この本を手に取ってくださった方々もまた私を育ててくれる師として、ありがとうの言葉を贈りたい。

雁来月に

如月真菜

著者略歴

如月真菜（きさらぎ・まな）

昭和50年３月27日　東京生れ
　　　　六歳ごろから母・辻桃子のもとで作句を始める
昭和59年　「花」に投句を始める
昭和62年　「童子」入会
平成９年　「新童賞」受賞
平成16年　「童子大賞」「わらべ賞」受賞
現在　「童子」副主宰・日本伝統俳句協会会員

句集『琵琶行』で第12回田中裕明賞、
　　　　　第14回文學の森準大賞を受賞

句集『蜜』『菊子』『琵琶行』
入門書『写真で俳句をはじめよう』

連絡先　「童子」事務所
　　　　〒186-0001　東京都国立市北１-１-７-103

湖《うみ》を出《で》る川《かわ》

——芭蕉《ばしょう》とかけめぐる近江《おうみ》

発　行　令和六年七月十一日

著　者　如月真菜

発行者　姜 琪 東

発行所　株式会社　文學の森

〒一六九-〇〇七五

東京都新宿区高田馬場二-一-二　田島ビル八階

tel 03-5292-9188　fax 03-5292-9199

e-mail　mori@bungak.com

ホームページ　http://www.bungak.com

印刷・製本　有限会社青雲印刷

ISBN978-4-86737-181-7　C0095